D1300735

DE L'AMOUR, DE LA MORT, DE DIEU ET AUTRES BAGATELLES

LUCIEN JERPHAGNON

DE L'AMOUR, DE LA MORT, DE DIEU ET AUTRES BAGATELLES

Entretiens avec Christiane Rancé

ALBIN MICHEL

À François Félix

« Ce qui l'ébranlait, en général, dans la philosophie, c'était qu'elle existât. Il en faisait l'épreuve comme d'un alcool. Mais elle le laissait aussi désemparé qu'un lendemain d'ivresse. »

ARAGON, *Les Beaux Quartiers*

« On peut, après tout, vivre sans le je-ne-sais-quoi, comme on peut vivre sans philosophie, sans musique, sans joie et sans amour. Mais pas si bien. »

Vladimir JANKÉLÉVITCH,
Philosophie première

Préface

« Cela pourrait commencer par un mot bergsonien : "Un philosophe a une chose à dire, et il passe sa vie à la dire." Pour moi, c'est cette soudaine intuition de la présence du monde et de ma présence au monde qui me tomba dessus à l'âge de quatre ans. Cette soudaine coulée de présence incompréhensible qui fut ma première expérience philosophique, comme je le saurais plus tard... À partir de là, il y a le thème platonicien de la philo qui naît de l'étonnement – et on ne s'étonne pas une fois pour toutes ! – et de jour en jour, tout ce que j'ai entrevu. Il y aurait aussi les maîtres qui m'y ont aidé : Jankélévitch en philosophie, Orcibal en histoire, puisque la philo s'inscrit dans l'espace et les temps. Et puis, bien sûr, le rationnel et le mythique, duo et non duel ; le divin et les images qu'on s'en donne, etc. Tout cela fournit dès le départ un cadre, le cadre où pour moi tous les thèmes s'inscrivent : l'amour, la mort, l'espérance, la foi, etc. Et pour vous

rassurer, l'humour. Enfin, vous voyez un peu ce que je raconterais – et dans quel sens. »

C'est ainsi que tout a effectivement commencé, avec cette lettre de Lucien Jerphagnon qui donnait à Stéphane Barsacq, initiateur du projet, son accord pour un livre d'entretiens. Ils eurent lieu chez le Maître, à Rueil-Malmaison, portes ouvertes sur l'été, entre les fleurs de son jardin et les livres de sa bibliothèque, et dans l'attention vigilante de Thérèse, sa « meilleure moitié », comme il aime à appeler celle qui lui a communiqué son amour pour l'Espagne, dont elle enseignait la langue. Peut-être parce que les paysages de ce pays tendu comme une peau de taureau sur la Méditerranée, et qu'il a sillonnés avec elle (« c'est un formidable pilote automobile », précise-t-elle), lui ont d'emblée rappelé ceux de Timgad, en Algérie, découverts sur une gravure qu'il avait, alors collégien, contemplée en classe de mathématiques. Il en récolta deux heures de colle et un coup de foudre pour l'Antiquité : sur la gravure, dans ces paysages, s'étendaient les ruines de l'ancienne Thamagadi, fondée par l'empereur Trajan en 100 – une harmonie de temples, de colonnes, de théâtre et de forum. Cet amour ne l'a plus jamais quitté. « J'ai su que mon âme s'épanouirait là. » Le monde antique lui apparaît alors, de son propre aveu, « comme un monde de mots et de choses enchantés, de beauté, d'harmonie et d'énergie, où l'esthétique et l'éthique se mêlent intimement ». C'est exactement avec cet esprit, dans cette vision, que, devenu professeur, diplômé de l'École des hautes études, docteur ès lettres et docteur en psychologie, chercheur au CNRS, Lucien Jerphagnon, « aventurier, détective, barbouze de la philosophie antique et médiévale », n'a plus cessé de nous nourrir de « l'inépuisable substance du passé », comme aurait dit Marguerite Yourcenar.

Nos entretiens se prolongeaient par des questions et des réponses écrites, confiées à la poste, toujours accompagnées d'un mot tracé d'une plume ferme trempée dans l'encre violette et signé des « deux Jerph' ». L'humour, l'affection, la générosité, tout ce qu'il manifestait au cours de nos échanges guidait ces petits mots d'accompagnement de la copie, tapée à la machine, dont le *e*, curieusement borgne, donnait à la graphie l'allure d'un alphabet révolu. Un peu comme l'usage des citations latines et grecques, « la langue de mes enthousiasmes ! », dont il ponctuait ses propos, quand il ne s'agissait pas de rappels aux expressions du Bordeaux de son enfance, de son père et de son demi-frère, cette ville si chère à son cœur et dont il a gardé l'accent. « Il était bien' brave, comme on disait à Bordeaux », a-t-il un jour légendé une carte postale représentant la tête de Néron exposée au musée du Capitole de Rome, autre cité de sa géographie personnelle, autre capitale de sa carte du Tendre. L'écouter, et écouter ses enthousiasmes pour ses auteurs préférés

– Pascal et Umberto Eco, Plotin et saint Augustin, Pierre Dac et Sénèque entre beaucoup d'autres –, confortait toujours le bonheur de se savoir appartenir à la civilisation du Livre, un monde de hiérarchies, de perspectives, d'étincelles, un monde inscrit dans une grammaire et une tradition et dont il est l'un des très grands passeurs, au même titre que ses amis Jacqueline de Romilly, Paul Veyne et Robert Turcan.

À l'écouter, quelquefois autour de la table où une paella de Thérèse nous réunissait avec Stéphane Barsacq, et alors Cervantès, Unamuno, le Cid se joignaient à la conversation, arrosée d'un de ces vins de Loire qu'il affectionne et qu'il débouchait à l'avance, j'entendais non plus l'historien, non plus le philosophe, ni davantage le professeur que ses élèves à la Sorbonne et à l'université de Caen où il était titulaire de la chaire d'« Histoire de la pensée antique et médiévale » ont tous aimé et révéré comme un maître, mais le formidable écrivain qu'il est *de surcroît*, et qui vous fait dévorer, comme autant de romans, les livres forts nés de son érudition : l'*Histoire de la Rome antique*; *Histoire de la Pensée. D'Homère à Jeanne d'Arc*; *Les Divins Césars*; et *Julien dit l'Apostat*, écrit comme pour réverbérer son *Augustin et la Sagesse*. Il y a bien d'autres ouvrages, mais ceux-ci, ainsi que *La Louve et l'Agneau*, le seul roman où il offre des personnages de son cru à l'Histoire – et, partant, transporte un truculent avatar du Jerph' dans la Rome du IIIe siècle –, ont converti plus d'un amateur d'essais et de mémoires de recherche en lecteurs compulsifs. Pour autant, jamais de recettes mais, dans ses pages, un mode de questionnement qui est un mode de réponse, et cet art qu'il admire tant chez les autres « d'intérioriser les auteurs et de suivre leurs chemins dans les ipséités, les "moi-même", des lecteurs. De l'unique à l'unique». Lucien Jerphagnon a le don d'incarner une région absolument autre de l'espace et du temps, c'est ce qu'on entend dans ses livres et dans sa conversation toujours en partage ; il vous rappelle alors, à votre insu, que le rapport de maître à disciple est le rapport même de la parole, une parole proprement bouleversante. Soulignez-le, et il le traduit aussitôt en un saisissant résumé de sa mission, un de ses *agrapha dogmata* dont il a le secret : « Je me suis toujours dit : Va et mets le bordel dans les têtes. »

Il y a un côté délicieusement redresseur de torts chez l'historien qui nous fait aimer avec tendresse les grandes figures de l'Antiquité grecque et romaine. Ne lui dites pas que Néron a fait brûler Rome pour mieux jouer de la lyre, ni que Julien est l'horrible apostat que la postérité a voulu, ou que saint Augustin se livrait à la débauche (« L'arrivisme était son grand péché, et non la chair, contrairement à ce que l'on raconte, et c'est déjà beaucoup »). Ce grand amateur de maximes et d'aphorismes a les amalgames en horreur et l'anachronisme en aversion, et plus encore la vacuité. Derrière son humour (« Vous savez, j'en suis arrivé à la conclusion suivante : le philosophe n'a guère le choix qu'entre deux possibles, le désespoir ou la crise de fou rire »), perce toujours la vision sombre du prince qui assiste au dépeçage de son palais et à la mise à l'encan de ses collections – tout ce qu'il a ressuscité, préservé et enrichi toute sa vie de cette culture antique tant aimée, douze siècles d'une civilisation qu'il voit mourir à petit feu. Dans ce chagrin, il n'y a rien du « *C'était mieux avant* » dont il s'est si bien amusé dans son recueil digne d'un Valère Maxime, d'un Aulu-Gelle ou d'un Macrobe, « le plus drôle des doxographes », mais l'avertissement que quelque chose d'infiniment plus précieux que l'Histoire même est compromis dans cette disparition : la notion de vérité. La vision sombre, et pourtant, jamais le désespoir : vingt-trois ans après sa première édition (1987), Lucien Jerphagnon remanie et revoit entièrement la somme magistrale de son *Histoire de la Rome antique*, parce que, « contrairement à ce qu'on pourrait penser, rien ne bouge aussi vite que nos connaissances [...], parce qu'elles reposent en partie sur des conjectures qu'une découverte peut nuancer – ou périmer – du jour au lendemain ». Une façon encore, généreuse, discrète et élégante, de mettre en actes un autre de ses aphorismes : « Les gens qui ont des certitudes sont sûrs de se coucher le soir aussi cons qu'ils se sont levés le matin. »

Plus historien que philosophe, Lucien Jerphagnon ? Mais avec lui, l'enseignement *est* la philosophie puisqu'il la conçoit dans l'essence de ce qu'elle fut avec Socrate, Platon et Aristote – une pensée dans le mouvement de ce qu'elle cherche. Et n'est-ce pas toute la grandeur du philosophe – même s'il réfute l'idée de se poser comme tel, par horreur des « concepts englobants », des -ismes et des abstractions vagues – de « secouer la cervelle dans la tête de ses lecteurs » ? Philosophe par nature, il est historien par méthode. « L'historien a un effet positif sur le philosophe qui trop souvent ne respire que des concepts, et le philosophe incite l'historien à aller au-delà des batailles ou du prix du blé pour se balader dans l'air d'une époque », souligne-t-il. Ainsi, Lucien Jerphagnon a marié l'histoire à la philosophie pour que l'une offre à l'autre la présence du monde, ce monde propre à émerveiller, aimé, malgré ou avec « l'âcre loyauté du désespoir », comme l'écrivait le biologiste Jean Rostand. Dès lors, il nous rend l'histoire de la philosophie, de même que l'histoire *et* la philosophie, non pas plus accessibles, ce qui induirait qu'il aplanit le champ des difficultés du savoir, mais plus proches, en nous fournissant l'infinité des rapports entre l'une et l'autre pour en saisir la richesse, l'infinie complexité et, partant, nous enseigner une modestie proportionnelle à l'ampleur de ses connaissances. Cette modestie, il ne s'en départ jamais. Elle l'habille avec le même naturel que l'élégance de son écriture et de ses tenues vestimentaires. Je le revois toujours, traversant son immeuble pour nous accueillir, haut, sec comme un cep de vigne, altier dans son costume dans un ton sur ton élégant avec la chemise et la cravate, et qui aurait fait pâlir d'envie George Brummell. Nulle affectation en cela, mais une mise à distance subtile, un recul fructueux pour qui cherche à prendre le pouls de l'Histoire. C'est d'ailleurs avec recul qu'il invite à regarder évoluer le monde, certain que le monde le dépassera toujours et qu'il est vain de tenter d'expliquer l'inexplicable. Dans cet esprit, il a conçu son rôle de professeur comme une obligation morale de « révéler à eux-mêmes les élèves tels qu'ils sont, mais meilleurs que s'ils n'avaient pas eu cette révélation ». C'est sur ce point qu'il est toujours revenu au cours des entretiens, soulignant en *off*, pendant nos pauses-café, nos pauses-goûter, macarons et fruits rafraîchis, qu'il est bien plus fécond pour l'Autre – cette ipséité qui bat au cœur de toute son œuvre – de transformer les problèmes en autant de mystères ; « en une donnée qui ne se laisse pas réduire à quelque chose de connu, et qu'il faut bien tenter d'assumer puisqu'on s'y découvre solidement et définitivement impliqué ». Comment éclairer ce qu'on ne peut savoir ? Lui qui disait toujours à ses étudiants : « Ne vous avisez pas de répéter mon cours à l'examen. D'abord parce que je le sais mieux que vous. Ensuite parce que j'espère qu'il vous permettra de découvrir des choses que vous n'auriez pas sues sans lui, afin qu'il vous aide à forger votre propre vision du monde », n'offre qu'une proposition, toujours la même : préserver sa faculté d'étonnement, sans perdre de vue que « le temps bouge continuellement sous les yeux d'êtres qui eux-mêmes se transforment». Et de rappeler la phrase de Chateaubriand qu'il a mise en exergue de son livre *Les dieux ne sont jamais loin*, «Tout le monde regarde ce que je regarde, mais personne ne voit ce que je vois».

«Que jamais la voix de l'enfant en lui ne se taise, qu'elle tombe comme un don du ciel offrant aux mots desséchés l'éclat de son rire, le sel de ses larmes, sa toute-puissante sauvagerie.» Ce vœu de Louis-René des Forêts, on se prend à le formuler pour Lucien Jerphagnon. Mais le Maître ne l'accomplit-il pas, chaque minute de sa présence ? Dans le commerce de son intelligence, on apprend à ne garder des larmes que le sel, du rire l'éclat, et de la sauvagerie la puissance, celle du moins de toujours s'étonner. «Étonnez-vous ! » pourrait d'ailleurs être son mot d'ordre, s'il ne les détestait pas autant. Étonnez-vous, encore et toujours. Laissez cet étonnement, qui l'a saisi enfant et ne l'a plus jamais quitté, et qu'il évoque longuement en préambule de ces entretiens, opérer sur vous. C'est que, «quand on a découvert que le monde existe et que l'on existe, on n'a pas besoin de miracle», affirme celui qui se dit «agnostique mystique» et s'en explique en citant Guillaume de Baskerville, le héros du *Nom de la rose* d'Umberto Eco : «Le diable, c'est la foi sans sourire, la vérité qui n'est jamais effleurée par le doute.» L'étonnement a entretenu l'espoir en lui de toujours chercher à connaître l'univers – à défaut de pouvoir le comprendre. Cet étonnement, il en a rythmé, trempé, insufflé tous nos entretiens, mêlant toujours l'histoire et la philosophie, invitant ses propres maîtres et les divins Césars, mêlant quelques saillies verbales à ses souvenirs et à ses émotions, mariant la légèreté à la profondeur, la rigueur de ses citations à la finesse de l'analyse – et nous autorisant ainsi, un court instant, à entretenir l'illusion d'être toujours ses élèves et un peu ses amis.

N'a-t-il pas écrit en conclusion de sa lettre d'accord : « Au reste, si le Jerph' vous intrigue, c'est qu'il cherche ce que vous aussi vous cherchez : l'infini, bien sûr, que nous ne trouverons pas. Mais l'entrevoir mériterait déjà de venir en ce monde. »

Christiane RANCÉ

Avant-propos

Ce bouquin ? À l'initiative de Stéphane Barsacq, ce sont des conversations avec Christiane Rancé. Avec elle, nous parlons de tout, très simplement, comme ça nous vient. On y discute de l'amour, de la philosophie, de la politique, du progrès, des mythes, de Dieu, de la mort, etc. De tout, je vous dis. – Histoire de savoir ce que j'en pense ? Bien sûr ! Mais qu'il soit bien clair que je n'ai pas la moindre prétention à « jerphagnoniser » mon lecteur. Ce n'est pas mon genre. Je ne fais pas partie des « penseurs sachant penser », comme disait mon maître Vladimir Jankélévitch ; des « philosophes », qui disent le dernier mot sur le fond des choses. Qui vous dit que les choses ont un fond ? Et comme dit Cocteau : « À force d'aller au fond des choses, on risque d'y rester. »

Cela étant, si mon lecteur prenait conscience qu'à propos de tous les sujets que nous abordons les gens racontent tout et n'importe quoi, je serais déjà bien content. En effet, sur tout cela, on entend dire « ce qui se dit» – des bagatelles, en somme, que les gens se repassent sans guère plus y réfléchir qu'en parlant de la pluie et du beau temps. «Ce que tout le monde dit», l'opinion, ce que les Grecs, les Romains appelaient *doxa*, *opinio communis*, dont ils ne disaient pas grand bien. Ils ne seront d'ailleurs pas les seuls. Dans un livre précédent, j'ai montré que, depuis Thucydide jusqu'à Pierre Dac ou Montherlant, on la dénonce. Sans parler de l'idéologie : «C'est ce qui pense à votre place» (Revel).

Alors si, à l'occasion de ce bouquin, j'avais pu déranger un peu mon lecteur, «lui secouer la cervelle dans la tête», je serais ravi. J'aurais servi à quelque chose puisque je l'aurais délivré de la dictature de «l'opinion». Parce que finalement tout est là. Chacun de nous est unique dans le temps et dans l'éternité, ainsi qu'aimait à le rappeler Jankélévitch. Une *ipséité*, comme nous disons dans notre patois de philosophes ; un être seul à être soi. Un être qui vit une durée unique, la sienne, même si elle s'inscrit nécessairement dans la durée collective, celle des sociétés dont chacun est un membre : famille, patrie, religion, milieu de travail, etc.

Alors, le problème est le suivant : pourquoi tant de gens se dérobent-ils si souvent à l'initiative qui est la nôtre, qui est celle de chacun : être soi, penser par soi-même ? Pourquoi inféoder sa durée propre à la durée collective ? Comme si, au fond, on avait peur d'être soi ; comme si on se sentait rassuré d'être un atome de la masse sous ses différentes formes ? Mieux encore : il arrive qu'on s'estime original en suivant la mode. La mode au sens de ce qui *se* portera cet hiver, mais pire : en se conformant à ce qui *se* fait en ce moment, à ce qui *se* dit, à ce qui *se* pense. Bref, être original en faisant comme les autres : « Il faut le faire. »

En somme, on respire l'air du temps – et sans filtre. Et c'est ainsi qu'on en vient peu à peu à voir les choses sans les regarder, à les regarder sans les voir. Bref, on ne s'étonne plus de rien. Alors que tout, précisément, devrait nous étonner. Tout.

On va dire : « Une drôle d'idée... Où a-t-il pris ça ? » Mais la clef, je la donne d'entrée de jeu : c'est que, pour moi, rien n'est ni ne sera jamais « tout naturel ». Pas même moi. Surtout pas moi. En effet, je ne me suis jamais fait à exister, pas plus qu'à voir surgir le monde, là, sous mes yeux, sans explication. Je sais une fois pour toutes que plus rien ne sera pour moi naturel ; plus rien n'ira de soi.

Je ne suis d'ailleurs pas le seul à avoir exprimé cette stupéfaction. J'en cite plus d'un ici, tous différents : le romantique Jean-Paul Richter, Jean-Paul Sartre – dans *La Nausée*, Roquentin : « Déjà, les choses n'avaient pas l'air trop naturelles... » –, Maritain, Montherlant, Charles Lapicque, Guitton, et récemment Jean d'Ormesson. Je n'aurai pas été le seul à vivre cette expérience de la contingence du monde et de soi en ce monde. Tous, nous avons attrapé la philosophie comme on attrape une maladie dont rien ne vous guérira. La philosophie, dont Platon, recopié par Aristote, dira qu'elle commence avec l'étonnement. Mais voilà, on ne s'étonne pas une fois pour toutes ; on en a pour une vie, et on voit les choses autrement. Alors, là, j'ai dit à Christiane Rancé comment je les voyais. C'est tout. Ah ! Si j'avais pu en aider d'autres à voir les choses, non pas à ma façon, par tous les dieux ! mais chacun d'eux à *sa* façon... La liberté, ça se partage.

Lucien JERPHAGNON

I

De l'entre-deux-guerres

Comme d'autres grandes figures des lettres et de la pensée, vous êtes originaire de Bordeaux. Un signe qui nous rappelle que vous partagez des points communs avec Montaigne et Montesquieu, comme si l'esprit girondin favorisait l'esprit d'indépendance, le goût de l'ailleurs. Parlez-nous de la ville bien-aimée de votre enfance, quoique vous soyez né en 1921 à Nancy.

J'ai grandi dans le Bordeaux des Mauriac, père et fils. La ville était prospère : son port immense, en pleine activité, ses quatre gares, son Grand Théâtre et les splendeurs héritées du temps de Montesquieu. Avec ses si larges avenues, ses jardins, son *paseo* du soir, à l'espagnole, c'était une Barcelone plate, je veux dire sans Montjuich ni le Tibidabo. La nuit tombée, l'air sentait les pins, qu'on trouvait au terminus des trams de banlieue, une fois passées « les barrières », cet équivalent bordelais des parisiennes « portes ». Le fleuve, maintenant que j'y songe, était présent dans nos têtes, et la fenêtre ouverte, il m'arrivait d'entendre de mon lit le brame des grands vapeurs en partance. Parfois, c'était le *Massilia* qui appareillait pour Buenos Aires, autant dire, à l'époque, pour la Lune. On venait de loin, en ces temps sans grand dépaysement, rien que pour le voir s'éloigner dans la nuit portuaire qui sentait les épices, la vase et le charbon. Au lycée, on se passait le mot : « C'est ce soir, le *Massilia*. Tu y vas ? » Je l'ai plus d'une fois vu s'écarter du quai, masse colossale piquetée de lumières, halée par des remorqueurs sexagénaires empanachés de fumée blanche. La nuit était douce, les quais inquiétants. Nous rentrions à pied, et à mesure que nous avancions, les nobles façades des Chartrons, du cours Xavier-Arnozan, puis de la rue d'Aviau me parlaient en secret de temps grandioses et de paradis perdus. Car à peine s'était-on remis d'une guerre qu'on causait déjà d'une autre. Mais pour se faire un peu peur, car nous étions si forts, n'est-ce pas ? Si puissants avec notre empire – tout ce rose sur la carte du monde, c'était nous ! –, que cet Hitler n'oserait jamais. Un petit agitateur à la tête d'un peuple censément famélique, qui se repaissait d'*ersatz*... Chaque jeudi – c'était le jour du congé scolaire en ces temps-là –, me parvenaient par bouffées, l'après-midi, des ordres en italien : « *Uno, due, tre...* » Sur la terrasse du consulat, l'immeuble mitoyen du nôtre, c'était un moniteur qui entraînait à la gymnastique son patronage de petits mussoliniens de mon âge. J'apercevais souvent le consul : il garait à deux pas de notre porte sa grosse Lancia. Il s'était fait la tête du Duce telle que je la voyais dans *La Petite Gironde*. Deux rues plus loin, le drapeau rouge, jaune et violet de la République flottait sur le consulat d'Espagne, et à mesure que s'aggravait leur guerre, je voyais s'allonger la file des réfugiés en quête de quelque tampon. Dans le jardin public tout proche, peuplé de canards et de cygnes, les paons criaient « Léon ! », comme il se doit, à la saison que je saurais bientôt être celle des amours.

Votre père était scientifique de formation, « un haut fonctionnaire, fringué n'importe comment ». Vous avez eu le malheur de perdre votre mère très tôt. Mais vous avez eu la joie de découvrir l'école de la IIIe République, celle des fameux « hussards noirs ». Quel souvenir en gardez-vous ? D'eux vous dites : « À mes maîtres, je dois donc tout, sauf l'intuition originelle et l'appétit qu'elle a déchaîné d'en découvrir le sens. Je leur dois tout ce qui, venant d'eux, m'aura conforté dans cette passion d'en savoir un peu plus afin de mieux chercher. Un maître dit à chacun de ses disciples, comme Socrate, "Connais-toi toi-même", et sois-le au mieux. Je dois donc aux miens, comme disait encore saint Augustin, d'avoir toujours cherché pour trouver, et trouvé pour chercher. »

Les maîtres d'école, ainsi les appelait-on dans la France des années 1920 ; les parents d'élèves avec une déférence qu'ils ne leur marchandaient pas, et nous autres écoliers avec un effroi nuancé d'amour filial. Je les revois, dans la cour de récréation, déambulant par trois ou quatre, de long en large, dans leur blouse noire ou d'un gris de ciel bas, entourés de nos cris comme d'un nuage de moustiques. Le moment venu, M. le Directeur, coiffé d'un feutre fatigué, sortait de sa poche un sifflet, attribut de sa charge et insigne de son prestige. Il en tirait quelques roulades impératives, les mêmes que le chef de gare ou le sergent de ville, toutes gens incarnant une autorité qu'on ne discutait pas, car on sentait qu'elle procédait de très haut. Au coup de sifflet, la nuée bourdonnante se condensait soudain en rangs de deux, devant les portes vitrées où, debout, bras croisés, le maître ou la maîtresse « attendait le silence ». Puis deux à deux, nous entrions dans notre salle de classe. J'en revois les murs pisseux rehaussés de plinthes noir goudron, égayés çà et là de cartes Vidal-Lablache et de panneaux figurant les poids et mesures : le litre, le décalitre, etc. Des hauts plafonds descendaient les becs de gaz, dont les abat-jour vert administration planaient sur nos activités et fournissaient un lieu d'accueil au regard des rêveurs. Un poêle à charbon, avec son tuyau tortueux, nous garantissait seize ou dix-huit degrés, centigrades bien sûr : on nous l'avait tôt appris. Bien droits dans nos tabliers, noirs comme il se devait, figés à nos places, nous attendions que tombât de l'estrade la formule rituelle : « Asseyez-vous ! » Les tables-bancs, d'une couleur indéfinissable, étaient percées d'un trou pour les encriers où nous trempions nos plumes Sergent-Major. Périodiquement, le maître les garnissait d'encre violette, officiant avec des gargouillis qui nous réjouissaient, à l'aide d'une poire évoquant le clystère. Le silence rétabli, la classe pouvait commencer.

Quel était votre emploi du temps ?

Les matins s'ouvraient sur les tables de multiplication psalmodiées en chœur : deux brèves, une longue, une brève. Et voilà qui me dispense encore de la « calculette », faute de laquelle tant de jeunes sont comme avec un réveil sans pile. Puis venait le vrai calcul, les problèmes – ma terreur –, ces robinets qui fuyaient par centilitres, litres, voire mètres cubes, et ces trains de cauchemar, express et tortillards aux horaires décalés, qui se croisaient au pire moment. Nous récitions les départements, avec leurs préfectures et leurs sous-préfectures, et j'imaginais le haut fonctionnaire vautré dans l'herbe depuis les *Lettres de mon moulin*, attitude qui ne laissait pas de m'intriguer. On nous serinait les dates de l'Histoire, et ce me fut bien utile. Passant au tableau noir, nous devions désigner d'un doigt mal assuré Lyon et Lille sur la carte muette, voire, comme cela m'arriva, le lac de Constance, qui me valut une bonne note.

L'après-midi était consacré à la lecture, à l'écriture, à l'orthographe, à la grammaire, et ma foi, de tout cela je me sers encore à l'heure où j'écris. J'y songeais dernièrement, tombant sur un texte du *De ordine* de saint Augustin : « Si l'on entendait un quelconque maître d'école tenter d'enseigner à un gamin les syllabes avant de lui avoir appris les lettres, on penserait qu'il faut, je ne dis pas se moquer de lui comme d'un sot, mais l'attacher comme un délirant, pour la seule raison qu'il n'aurait pas observé l'ordre de l'enseignement. » Augustin écrivait cela en 386, et la recette, qui remontait à loin, valait toujours de mon temps. À chacun, d'où qu'il vînt, elle donnait la chance, s'il n'était déficient, de lire et d'écrire convenablement tout au long de ses jours. Ce n'est que bien plus tard que les choses se gâtèrent, quand des commissions pédagogiques – les « inspecteurs lamentables » d'André Breton – trouvèrent sous leur chapeau une méthode mirifique, qui retarda les bons élèves et sinistra les moins bons. J'entends dire qu'on en reviendrait, mais est-ce si sûr ? Les syndicats en décideront.

Et puis, martyrs sans le savoir, il nous fallait apprendre par cœur une infinité de choses, sinon tout, maintenant que je m'en avise. Et si, grammaticalement hérétiques et relaps, nous avions manqué une fois de trop à la règle du participe cent fois expliquée, ou si nous avions fourré sans malice Strasbourg en Gironde, ou encore si notre indiscipline s'était faite un peu trop voyante, il n'était pas rare qu'une paire de claques nous fît comprendre à quel point le maître ou la maîtresse était contrarié de ne rien pouvoir tirer de pareils débiles. Mieux valait, en la circonstance, n'en point saisir les parents, assurés que nous étions d'un supplément de même nature, le maître ayant, par définition, la raison pour lui. Car en ces temps lointains, les parents d'élèves, gent aujourd'hui suspicieuse et omnipotente, s'en remettaient tout bonnement aux maîtres. Ils n'auraient certes pas, pour si peu, dérangé un juge, saisi la Ligue des droits de l'homme, et moins encore médité de sanglantes représailles claniques. Mais, là encore, nos maîtres d'école ne faisaient que reconduire une antique tradition, celle du «*plagosus Orbilius*» – traduisons : «Orbilius-la-baffe» –, dont le nom redouté des écoliers chantait encore dans la mémoire d'Horace.

Mais que nous montrez-vous là ? Une chiourme ? une geôle ?

Non, une école communale de garçons (on ne mêlait pas...), dans une grande ville où mon père était alors en poste. Nous venions de tous les milieux, et de cela nous n'avions cure. C'était «la laïque», à laquelle, pour chrétiens qu'ils fussent, mes parents avaient confié mon enfance. Et là – mais me croirez-vous ? –, nous étions tour à tour espiègles, attentifs et rieurs. Bref, nous étions des gamins heureux. Aux maîtres de mes premières années, je dois tant que je serais tenté de lever la main, de leur demander : « M'sieur, m'dame, je peux parler de vous ? » Je gage qu'ils me répondraient, comme en d'autres circonstances : « Oui, mais faites vite ! »

Mes instituteurs... Sans le savoir, ils jouaient *La Gloire de mon père* et *Le Château de ma mère*, et *Topaze* aussi, avec sa dictée traversée de *« moutonsss »*, et aussi le Clanricard des *Hommes de bonne volonté*. Ils savaient l'importance étymologique de leur métier : celui qui institue, qui pose les fondements, et c'était toute une jeunesse qu'il leur fallait fonder, en savoir, en civisme, en morale, car, en ces temps révolus, on osait parler de morale. Mais oui, à l'école ! Ils aimaient à décorer le meilleur élève du moment : il recevait le samedi soir la croix d'honneur, épinglée pour la semaine sur son noir tablier – c'est ainsi que je faillis prendre le goût des médailles, la seule chose dont il ne me soit rien resté. Républicains comme on est franciscain, entrés à l'École normale comme au couvent, ils mangeaient du curé, bien sûr, mais seulement le dimanche, car au long de toutes ces années, oncques ne les entendis médire de la religion. Tant et si bien qu'il m'arrivait – s'ils avaient su ! – de leur faire une place dans ma prière d'enfant. Mais maintenant qu'ils savent, ils m'auront pardonné la seule farce que je leur aurai jamais faite.

Gardez-vous des souvenirs de votre enfance, en particulier de vos vacances ?

Mes vacances d'enfant, dans une sous-préfecture des marches de l'Est, s'enchantaient d'explorations. Dans le grenier de ma grand-mère, je feuilletais les numéros de guerre de *L'Illustration*. S'y étalaient les photographies des nouveaux maréchaux de France, Joffre, Foch, Pétain, « le vainqueur de Verdun »... Une collection de chromos me transportait sur les ailes de la Victoire. On y voyait une Alsacienne et une Lorraine en costume traditionnel, grand nœud noir ou bonnet blanc, offrant un bouquet bleu-blanc-rouge à un « poilu » bien propre, qui souriait ravi, avec, maintenant que j'y songe, un air un peu emprunté. Je voyais, sur une autre image, un poteau-frontière abattu, et l'aigle noir de Guillaume II gisait dans l'herbe, sous le regard triomphant des trois mêmes personnages. Il y en avait comme cela toute une pile. Avec les petits camarades, on jouait à la guerre. Mon patriotisme du cours élémentaire s'exaltait des histoires de mon arrière-grand-père, celui qui, de garde, avait vu Napoléon III. Il riait de m'entraîner au maniement d'armes, avec ce qui lui tombait sous la main, sa canne, le manche d'un balai réquisitionné au passage : « Fixe ! » Et mon cœur se serrait quand je lisais *La Dernière Classe* d'Alphonse Daudet. Quand j'eus un peu grandi, on me conta une histoire que je trouvai jolie. C'était une toute jeune fille, une Lorraine, dont le père, en septembre 1914, tomba foudroyé, dans la force de l'âge, par une maladie qui aujourd'hui ne pardonne pas plus qu'hier. Le mourant l'appela auprès de lui : « Quand nous serons redevenus français, lui dit-il, tu viendras me le dire au cimetière... » – ce que jura la jeune fille. L'année suivante, un officier allemand à particule, courtoisement, la demanda en mariage. Dignement, la demoiselle refusa. En novembre 1918, un chrysanthème à la main, elle franchit les barrages, enfin gardés par des sentinelles bleu horizon, et porta à son père la nouvelle qu'il avait sa vie entière espérée en vain. La jeune fille ignorait encore qu'un autre militaire, un Français celui-là, revenant de sept années de campagnes sain, sauf et déjà bien décoré, était passé par là avec sa section. Il s'était épris d'elle sans oser le lui dire, ainsi en allait-il dans ces temps antiques. Démobilisé, le soupirant se déclara, la demoiselle s'éprit de lui le jour même, et ils décidèrent sans plus tarder de se marier. Un an plus tard, j'arrivais en ce monde. J'y suis toujours.

Voici une chose au moins dont on peut se réjouir, la fin des hostilités entre la France et l'Allemagne et qui ont marqué plus d'un siècle.

Il n'y a plus, aujourd'hui, de ligne bleue des Vosges, sinon sur les guides touristiques, et c'est tant mieux. Colette Baudoche pourrait épouser tranquillement

M. Asmus, s'ils se plaisaient, et ce serait très bien. Ils seraient heureux et auraient beaucoup d'enfants bilingues, qui viendraient à Metz aux vacances, pour y voir leur grand-mère. Barrès se sentirait un peu dépaysé, au début, mais il s'y ferait vite : il était intelligent. Avec nous, il se réjouirait de voir la chancelière Merkel et le président Sarkozy se serrer la main avec une chaleur qui transcende les usages. Avec les réformes projetées de notre défense, *Le Train de 8 h 47* ne trimballera bientôt plus que des civils ; quant aux *Gaîtés de l'escadron* à venir – un escadron de techniciens –, elles ne seront plus intelligibles qu'aux seuls soldats de métier, incollables en maths et rompus à l'informatique. Plus rien à voir avec la simplicité rurale de *Lidoire* et de son copain de chambrée saoul perdu. Courteline ne se survivra – mais là, pour longtemps – que dans *L'Article 330*, qui n'a pas pris une ride, et dans *Messieurs les Ronds-de-Cuir,* à cela près que le chef de bureau La Hourmerie sera sorti de l'Éna dans un rang moyen.

Ces souvenirs vous sont-ils présents ? Ou, pour parler comme Philippe Soupault, sont-ce des « souvenirs de souvenirs » ?

Les années ont passé. La ligne bleue des Vosges s'est dissoute dans mon crépuscule, où les voix brisées de *Colette Baudoche* et de *La Dernière Classe* ne me parviennent plus qu'assourdies, toujours présentes, mais à la façon d'un écho. Les chromos de ma grand-mère hantent encore mes yeux, insolites, aussi décalés que *Les Très Riches Heures du duc de Berry*, l'esthétique mise à part. Comment l'enfant des années 1925 aurait-il mesuré l'horreur de ce qui s'était passé, et dont *La Vie et rien d'autre*, le film de Bertrand Tavernier, a rendu les lendemains de façon dérisoire et sublime ? On avait déjà tout remis en ordre, rincé à l'eau de rose le plus abominable carnage de tous les temps. Simplement, à l'école, au lycée, nous remarquions que, à nos maîtres d'alors, il manquait souvent quelque chose, un œil, un bras, et cela n'entrait pas pour peu dans notre respect. Puis vint une autre guerre, bien sûr. On sait le reste. Je suis calmement heureux, aujourd'hui, qu'une interminable page de sang et de larmes soit enfin tournée. Et ce passé même que j'évoque, l'enfance patriotique, les rêves tricolores, tout cela n'éveille plus pour moi qu'un besoin accru de silence.

Quand avez-vous quitté Bordeaux ?

En 1939. En 1940, le gouvernement en déconfiture s'y replia un temps, une fois de plus. Par chance, je n'ai pas vu Bordeaux grouiller d'uniformes vert-de-gris, marron ou noirs, qui auraient à jamais décomposé mes images. Le Bordeaux d'alors m'est donc resté, ma ville idéale, mon jardin d'Éden où grandissait un enfant d'une trop courte paix. J'y retourne quand je le peux, repris par le rêve, grand-père qui met ses pas dans les pas du petit gars qu'alors il était. Le quartier n'a pas changé, simplement les formes des voitures qui s'y rangent le long des trottoirs. Le jardin public n'a rien perdu de son charme, et il doit bien y avoir encore des paons pour crier « Léon ! » à la saison des amours. Je passe par là chaque fois. Mais des habitants de ce temps-là, je ne vois plus marcher, à pas lents, que des enfants devenus vieux. Ils s'assoient, comme moi, sur quelque banc aux formes d'aujourd'hui, et rassemblent tant bien que mal, comme autrefois leurs billes, ce qui leur reste de souvenirs.

En un sens, je le sais, on ne devrait jamais revisiter les lieux de ses vacances d'enfant. Plus grand-chose, au soir d'une vie, n'y ressemble à ce qu'on a vu et connu il y a de cela cinquante ans, soixante ans, plus. Une route, dans la campagne, tant de fois parcourue à vélo, se perd d'un coup dans des broussailles vieilles déjà de dix ans, d'où surgissent, droites, implacables, les piles d'un autopont. Marche arrière, retour vers le village. Une petite fabrique, au bord des champs, n'en finit plus de s'écrouler. Sur l'emplacement d'un boqueteau, un ferrailleur a prospéré, exploitant ses carcasses entassées de voitures au bout du rouleau. Le petit café du coin a disparu, le coiffeur aussi, remplacé par une agence bancaire. L'église est bouclée, comme le temple protestant. Le cimetière même a changé, comme si les morts s'étaient serrés pour faire place à des stèles à la mode, aux couleurs comestibles. Dans la grand-rue, des passants inconnus. Sentiment d'irréel, une toile de Magritte. Jusqu'à l'accent du pays, qui s'est comme fondu dans le laïus uniforme de la télévision. Vite, remonter en voiture, s'en aller. Circulez, il n'y a rien à revoir...

Vous voilà soudain sombre, comme par un excès de mélancolie fréquent chez vous.

L'Ecclésiaste avait tout compris : « Un temps pour toutes choses sous les cieux : un temps pour naître et un temps pour mourir », etc. Un temps pour lancer quelques idées, et un temps pour radoter ; un temps pour s'attaquer aux « grandes questions », et un temps pour les laisser sans réponse, car c'est là finalement leur définition. Il y a un temps pour suivre le monde tel qu'il va, et un temps pour le laisser aller tout seul ; un temps pour parler, et un temps pour se taire. Relisant le vieux texte, j'ai su qu'il disait vrai, et j'ai su que je l'avais toujours su, comme si la leçon me venait du fond de l'éternité. « Où sont les neiges d'antan... » Tout a changé, et les repères se perdent. D'autres hommes sont déjà chez eux dans ce décor sorti d'un futur que nous n'imaginions pas. « Homme d'un autre temps, écrit Talleyrand, je me sens devenir étranger à celui-ci. »

Et tout à coup, voilà que l'Histoire m'a repris, m'entraînant dans sa ronde, comme souvent il m'arrive quand se télescopent les références sans nombre à ces mondes disparus, à ce passé redevenant présent. J'entends distinctement Cicéron engueuler Catilina, et mieux, je vous le dis, que je n'entends Fabius engueuler Juppé, et inversement, et je vois Valerius Asiaticus, dont Messaline a fini par avoir la peau, faire déplacer son bûcher funèbre, de crainte que le feu ne roussît ses arbres. Et j'entends le *plouf !* que fit Sénèque se jetant à l'eau pour arriver plus tôt sur le plancher des vaches, car il en avait plus qu'assez, dit-il à Lucilius, du mal de mer. Je lis le *sic* et *non* pardessus l'épaule d'Abélard, et je surprends saint Thomas disant, après sa vision, que tous ses bouquins n'étaient que de la paille, et je sais bien que Platon n'est pas plus mort que ma grand-mère. Leur temps n'est plus, mais qu'importe, si rien de tout cela n'a pris une ride ? De ce passé, de leur passé, vient à mon présent ce qu'il cachait d'éternel. Tout est là. « *Tota simul* », disait de l'éternité saint Augustin. Je sais, maintenant, que depuis toujours, l'histoire des hommes est une chronique de l'éternel présent.

II

D'une vision du monde

À qui vous demanderait quelle est votre vision du monde, que répondriez-vous ?

Je répondrais par une autre question : « De quel monde parlez-vous au juste ? » En effet, selon moi, il est essentiel de préciser ce qu'on met sous le concept si accueillant de « monde ». Accueillant parce que vague. Cela veut tout dire. S'agit-il du monde physique, le *kosmos* des Grecs, qui le voyaient bien différemment de nous ? Je tenterais alors d'en dire ce que j'ai retenu de tant d'années d'études, et que remet sans cesse à jour tel livre dernièrement paru, ou tel article signalant une découverte qui renouvelle ce qu'on croyait savoir sur tel ou tel point. C'était mon travail. Et puis, « le monde bouge », comme dit un slogan publicitaire de la TV, et cela depuis toujours. De plate qu'elle était, la terre est devenue ronde, et elle s'est mise à tourniquer autour du soleil, alors que de pieuses gens avaient longtemps soutenu le contraire. De même, est-on encore persuadé que l'homme, comme disait Lamartine, est « un dieu tombé qui se souvient des cieux » ? Depuis Lamarck et Darwin, on le sait cousin des singes. Bref, « le dieu tombé » a fait une mauvaise chute, ce qui une fois de plus désola de pieuses gens. Certains ne veulent toujours pas l'admettre : « le monde » n'est pas une entité immuable que regarderait la longue suite des hommes jusqu'à nos jours. Comme disait Paul Nizan, un philosophe marxiste, dans les années 1930 : « Une pensée qui s'en tient au cercle ne possède pas le même monde matériel que celle qui peut tenir compte de l'ellipse… Un nombre réduit d'invariants peut seul donner l'illusion d'habiter le même univers permanent. » De ce « monde » des astronomes, des physiciens, etc., que dirais-je, sinon le peu qui m'est resté du lycée, et qui s'est bien démodé depuis ?

Vous savez bien que ce n'est pas de ce monde dont je souhaite vous faire parler…

Oui, il y a un autre « monde », celui qu'évoque un autre slogan qu'on entend tous les jours à la radio : « Dans quel monde vivons-nous ? » Le « monde » économique, sociologique, politique, culturel, etc., où s'inscrit la vie de chacun au jour le jour. L'*Alltäglichkeit*, comme dit Heidegger, le quotidien et sa continuelle évolution.

On y est nécessairement attentif – sauf grave défaillance psychique –, puisque c'est en lui que notre temps se déroule. Et si je me réfère à mes quatre-vingt-dix années d'expérience, je puis déjà dire que j'aurai toujours vu « le monde changer » et changer les idées qu'on s'en fait. Grâce aux psychologues, aux sociologues, aux économistes et aux journalistes qui nous tiennent au courant de ce qui s'en dit, on en sait plus long sur ce vécu, sur ces différents plans. On sait que l'homme vit nettement plus longtemps qu'au Moyen Âge, du moins sous nos climats : plus confortablement aussi, du moins pour le moment, et qu'il aspire cependant toujours à un progrès. Du temps de ma jeunesse, on pensait le mot « progrès » avec une majuscule, mais de nos jours, on est plus prudent, car sont apparues les préoccupations écologiques, et on découvre que « le progrès » n'a pas que du bon. Du moins « le progrès en soi ». Sur ce plan-là aussi, je ne puis dire « du monde » que ce que j'en apprends et sur quoi je tente de réfléchir. Disons, avec Edgar Morin, que « je respire l'air du temps ». Mais là encore, mon métier d'historien de la pensée m'a rendu curieux de respirer l'air d'autres temps, du moins autant que le peut un humain dont la vie s'inscrit fatalement dans celui-ci. J'aimerais tant savoir ce qu'on disait de ceci, de cela, aux temps si différents d'Homère, d'Alexandre le Grand, de Cicéron, de Septime Sévère, de Dante Alighieri… De ces « mondes »-là, ce qui m'a toujours passionné, au point que j'en ai fait mon métier, c'est ce qu'on en a vu, ce qu'on en a dit, au long des âges, et cela grâce à ce qui par chance nous en est parvenu. Oui, grâce à ce qui a survécu aux invasions, aux pillages, aux incendies, aux rats, à l'usure et à la sottise. Comme tout, l'histoire aussi est contingente. Oui, décidément, j'ai pu constater que « le monde bouge », et si j'y insiste autant, c'est pour dire que trop souvent nous sommes tentés de regarder ce fameux « monde » comme une entité immuable, et d'imaginer qu'avec le temps nous avons fini par le voir « tel qu'il est », ou presque. Tel qu'il est *pour qui* ? – *That is the question.*

Mais votre vision « à vous » ?

C'est une vision unique parmi des milliards de visions tout autant uniques. Ce que je voudrais souligner, c'est qu'au sujet du « monde » tel que nous venons de l'évoquer, nous avons – ou nous pensons avoir – un certain nombre de certitudes. Je songe à ce que disait Tolstoï que vous citez à ce propos, chère Christiane Rancé, dans votre *Tolstoï, le pas de l'ogre* : « Quand on est jeune, on voit autour de soi des hommes qui font semblant de savoir. Alors on se met à faire semblant de savoir. » Et pour chacun de nous, ce qu'on en sait va de soi. Je pense aussi à un passage des *Thibault* de Martin du Gard : « Il y a des gens qui se sont fabriqué, une fois pour toutes, une conception satisfaisante du monde. Après quoi, ça va tout seul. Leur existence ressemble à une promenade en bateau par temps calme : ils n'ont qu'à se laisser glisser au fil de l'eau – jusqu'au débarcadère… » D'où leur agacement, voire leur indignation, si d'autres, si vous, ne partagez pas leurs évidences, et souvent leur prétention à les imposer *urbi et orbi* puisque encore une fois « elles vont de soi ». Pour eux, bien sûr. Martin du Gard évoque ailleurs l'assurance de ces gens-là, que nous avons fatalement rencontrés : « Dans le regard, dans le sourire, le joyeux défi de ceux pour qui tout est définitivement éclairci en ce monde comme en l'autre, et qui se sentent avec sérénité les seuls détenteurs du Vrai. » Déjà, le verbe « détenir » dit bien des choses… Tout le portrait, en somme, de M. Homais selon Flaubert dans *Madame Bovary*. À cela Maurice Druon non plus ne pouvait se faire. Ainsi dans *Les Rois maudits* : « C'est miracle que les gens aient le regard si peu ouvert et ne reconnaissent dans les choses et les êtres que l'idée qu'ils s'en font. » Mais à vrai dire, n'est-ce pas l'existence elle-même de ce que nous appelons « le monde » qui poserait un problème ? Comme d'ailleurs notre propre existence qui la découvre ? C'est précisément cette contingence du « monde », et ma contingence à moi soudain découverte dans mes toutes premières années, qui m'a posé ce problème de « l'être-là ». Un problème que je n'ai jamais pu résoudre, ni même laisser glisser dans l'indifférence, comme je le fais pour tant d'autres choses. Pour moi, plus rien ne serait jamais « comme avant ».

Comme « avant quoi » ?

Comme avant cette première expérience – disons : de la contingence de toute chose en ce monde, moi compris, qui d'un coup m'en avisai. Et quand j'essaie d'imaginer ce qu'aurait été ma vie si j'avais échappé à cette expérience-là, que plus d'une fois j'ai tenté de décrire, j'en arrive tout au plus à ranimer quelques images. « Comment c'était avant ? » – Avant ? – C'est ce qui surnage du quotidien d'un bébé moyen durant ses quatre premières années. Autant dire pas grand-chose. Un bac à sable où je fais des pâtés ; un autre enfant à qui je reprends sans douceur la pelle qu'il m'avait dérobée. Tout cela baignant dans l'espace-temps « papa-maman-grand-mère » tendre et sévère, entrecoupé des nécessités de nature encadrées, comme tout, par les grands. Drôle ou pas, tout était clair. Il y avait ce qu'il fallait faire et ce qu'il ne fallait pas. Une fessée de temps en temps ; des baisers aussi. Régnait le « C'est comme ça parce que c'est comme ça ». Bref, le parcours du bébé lambda promis à l'âge adulte et qui doit s'y préparer comme à un concours : « Quand tu seras grand... » Puis tout soudain...

... Oui, tout soudain ?

Je me revois ce jour-là dans un parc boisé, tout seul, traînant au bout d'une ficelle un petit camion que je revois lui aussi.

Et tout d'un coup, les choses se mirent à être là. Les arbres s'imposaient, immenses, agités de vent, et je voyais tout pour la première fois. Tout, et moi qui tout soudain me voyais voyant. Le monde – un mot que je ne savais pas encore –, le monde s'imposait, insistait, et je n'en pouvais plus rien nier, même en fermant les yeux. C'était là, voilà tout, et je me demandais ce que cela faisait là. Oui, c'était là et moi avec. Plus rien n'irait de soi, et je ne savais pas encore jusqu'à quel point tout me semblerait insolite. Cette brusque coulée de présence avait bousculé d'un coup ce qui s'était mis en place dans la tête du bébé que j'étais, qui ne se posait pas de questions, si ce n'est l'heure du goûter, l'envie de se rendre aux toilettes, la paire de claques que me vaudrait une sottise qui me tentait. Tout cela dépendait des « grands », qui savaient tout. Mais là, c'en était fini d'une tranquillité que je me prenais à regretter à mesure que se posait la question apparue soudain : « Pourquoi c'est là, tout ça ? Et moi ? Qu'est-ce que je fais là ? » Du « tout naturel » le mystère avait surgi : encore un mot que je ne savais pas. J'avais bien dû en dire quelque chose – mais quoi ? – aux parents, car on me parlait du « bon Dieu ». Mais ce qu'on m'en disait, et qui me rappelait étrangement les histoires que ma grand-mère me racontait pour m'endormir, « répondait à côté ». Oh, certes, je savais comment il s'y était pris pour créer le monde une fois pour toutes en une semaine, mais comment se faisait-il que, parfois, le monde surgissait là, sous mes yeux, comme en train de se faire ? Oui, c'en était fini de la tranquillité, de l'indifférence. Cette sorte de miracle avait tout relativisé en un instant de ce que je me figurais, de ce qu'on me disait, de ce qu'on me suggérait, de ce qu'on m'imposait.

Non, rien n'irait plus jamais de soi. Au long de tant et tant d'années d'études, on m'a tout appris – ou tenté de m'apprendre...– de la nature du monde, mais personne n'aura été capable de me dire ce que le monde pouvait bien faire là, à commencer par moi qui le voyais sortant – mais d'où ? Et ceux qui ont tenté de me le dire ne m'ont pas convaincu. La science explique le monde, et de mieux en mieux, mais elle n'en justifie pas la présence, là, sous mes yeux ou dans mes souvenirs. La religion prétend dire là-dessus le dernier mot, mais c'est une question de foi, et donc il ne s'agit que d'une autre « chaîne », comme on dit en parlant TV.

C'est à croire que cette intuition de la contingence du monde ne vous a jamais quitté depuis la prime enfance ?

Comment eût-ce été possible ? À ce point bouleversante, cette coulée envahissante de présence, cette crue de contingence est restée si présente, que j'en ai cherché – et que j'en cherche toujours – des expériences analogues dans ce qui s'est écrit au long des âges. J'ai toujours cherché le témoignage de ceux qui auraient pu avoir une expérience identique, et qui l'auraient narrée. J'en ai trouvé plus d'un, et ce m'était chaque fois un vrai bonheur. Je me sens chaque fois moins seul.

Et lesquels ?

En vrac, me viennent à l'esprit ces frères en stupéfaction d'exister. Jean-Paul Richter, le romantique allemand : lui aussi, tout gamin, il avait tout soudain découvert près d'un tas de bûches qu'il était un « moi ». Un siècle et demi plus tard, Jean Guitton, en 1908, fait lui aussi, à l'âge de sept ans, une découverte qu'il n'oubliera plus : « Un jour, j'eus une impression d'effroi, ou plutôt de solitude. En regardant un mur blanc qui absorbait le soleil, j'eus l'impression étrange, déconcertante, douce, pénible (aucun mot ne peut m'aider) que… *j'existais*. Je savais que *j'étais*. C'était davantage : *j'existais*… C'était une sensation d'existence à l'état pur. »

Mais ce n'est pas la seule présence de soi à soi qui s'impose. C'est à travers « les choses » soudain plus présentes que d'ordinaire s'affirme et qu'insiste cet « être-là ». Ainsi Luc Estang, de la terrasse d'un café, voit d'un coup « les choses prendre un relief exorbitant ». Et Charles Lapicque qui « a senti en un instant s'effondrer la solidité du monde ». On pourrait citer des gens différents au possible, voire philosophiquement ennemis. Ainsi le Sartre de *La Nausée*, où Roquentin s'était dit ce jour-là que « les choses n'avaient déjà pas l'air trop naturelles », ou encore : « Il m'arrive que je suis moi et que je suis ici. » Aux antipodes et dans les mêmes années, le très thomiste Maritain dans ses *Sept Leçons sur l'être* : « En moi, hors de moi monte comme une clameur la végétation universelle. » Et qui encore ? Ce personnage de Mauriac dans *Préséances*, qui lui aussi se dit « stupéfait d'exister », ou l'Inès de Montherlant dans *La Reine morte* évoquant « cette fabrication de chaque instant, matérielle et immatérielle, qui vous fait vivre dans la sensation d'un miracle permanent... », ou encore, de Montherlant toujours, pour qui les constellations dans le ciel « parlent de la folle aventure de durer ». Une aventure qui, pour tant de gens, n'en est pas une, puisque pour eux « ça va de soi ».

En ce qui me concerne, je ne m'y suis jamais fait, et ce m'est chaque fois un réconfort que de découvrir chez d'autres cette connivence. Je ne suis donc pas seul à vivre et à faire durer l'inexplicable. Dans *C'est une chose étrange à la fin que le monde*, Jean d'Ormesson raconte ce jour d'été où – je le cite – « les choses autour de moi basculaient d'un seul coup. Les arbres, les rochers, le soleil sur la mer, la beauté des couleurs et des formes, tout me devenait étranger et opaque. Le monde perdait son évidence. Il n'était plus qu'une question. Enivrante, pleine de promesses. Gigantesque, pleine de menaces. Je me disais : Qu'est-ce que je fais là ? Je fermais les yeux, la foudre me frappait. Pourquoi y a-t-il quelque chose plutôt que rien ? ». Oui, la question que posait Leibniz. Question qu'une longue suite de décès alourdira peu après pour moi d'un « À quoi bon ? ». Celui d'Eugène Ionesco dans *Le roi se meurt* : « Pourquoi suis-je né si ce n'était pas pour toujours ? » Absurdité d'une vie qui, disait Maurice Nédoncelle, « travaille pour un cimetière déjà surpeuplé ». Mais pour moi demeura toujours l'étonnement, qui conjure l'absurde par l'espérance. Dans *La Pensée et le Mouvant*, Bergson disait encore qu' « un philosophe digne de ce nom n'a jamais dit qu'une seule chose ; encore a-t-il plutôt cherché à la dire qu'il ne l'a dite véritablement ». Pour moi qui ne suis qu'un historien de la philosophie, c'est, on l'aura deviné, l'étonnement irrépressible de voir à tout instant surgir toute chose, que j'ai à dire. À dire et à tenter d'éveiller chez les autres.

Ce serait donc là le fondement de votre « vision du monde », pour en revenir à ma première question ?

Cela peut se dire ainsi. L'étonnement devant le fait *qu'il y ait* « un monde ». Sans doute est-ce cette expérience d'enfant, ce qu'elle a initié en moi, ce qu'elle n'a cessé de susciter tout au long de ma vie. Je pourrais citer tel ou tel de ces moments. Ce soir-là, à la gare de l'Est – je pouvais avoir trente ans –, de la fenêtre d'un wagon, j'ai soudain vu le train surgir sur la voie d'en face où il devait stationner depuis un bon moment, et la verrière que j'avais vue cent fois, si ce n'est plus. Tout cela s'était mis à exister, et les quelques voyageurs arpentant le quai sortaient du néant pour aller prendre leur train.

C'était à ne pas y croire. Ça existait si fort que j'en étais abasourdi. Et chaque fois, les mêmes questions : « Comment cela se fait ? Qu'est-ce que ça fait là ? D'où ça vient ? Où ça va ? Et moi, qu'est-ce que je fous là-dedans, tout ça pour mourir ? » Toutes questions qui, bien sûr, ont pris une forme classique avec les années, et qui, évidemment, resteront sans réponse « définitive ». Ce n'est donc pas une aventure mégalomaniaque, celle du philosophe qui prétend dire le dernier mot sur le fond des choses... Nous reviendrons sur ce point. Mais cela peut s'appeler « philosophie ». Platon, dans le *Théétète*, dit que la philosophie commence avec l'étonnement, *thaumazein* – mieux vaudrait traduire « avec l'émerveillement ». Ce qu'Aristote redira après lui, encore qu'il ne s'étonnât pas des mêmes choses. Ainsi Aristote est surpris du peu de cas que Platon fait de l'expérience sensible.

De tous ces étonnements, quel est celui qui vous « chavire » avec le plus de force ?

Je m'étonne toujours… qu'il y ait des gens qui ne s'étonnent de rien, et cela depuis toujours. C'est Épictète, dans les *Entretiens*, qui le dit : « Il y a des gens qui, comme les bêtes, ne s'inquiètent de rien, que de l'herbe… » Cicéron, cent ans plus tôt, le déplorait déjà à propos de cette merveille qu'est la lumière : « Avec le retour du quotidien, écrit-il dans *La Nature des dieux*, et l'habitude de la voir, nos esprits s'accoutument ; on ne s'étonne plus ; on ne cherche pas les raisons des choses qu'on voit tout le temps, comme si le mouvement des objets plus que leur importance devait nous pousser à nous enquérir de leurs causes. »

Clément d'Alexandrie, au IIe siècle, insiste : « Étonne-toi de ce qui existe ! », et ce sera un thème chez Augustin : le plus extraordinaire des miracles, c'est selon lui la création du monde. Plus près de nous, la Caroline de Philippe Labro dans *Les Gens* qui regarde « la vie comme un miracle de chaque jour ». Personnellement, je le répète, je ne cesse de m'étonner que « cela existe ». Toutefois, il va de soi qu'on ne s'étonne pas une fois pour toutes. Heidegger a dit que l'étonnement accompagnait chaque pas de la philosophie.

Dans cet état d'esprit, qu'est-ce qui vous étonne au jour le jour ? Des choses ont-elles cessé de vous étonner, quand d'autres vous requièrent peut-être davantage ? Et finalement, cet étonnement en quelque sorte fondamental est-il du côté de la joie ou de l'effroi ?

Disons que ce choc existentiel, pour le dire comme cela, a relativisé tous les motifs d'émotion que le quotidien me donnerait comme à tout le monde. Mais quand, sans l'avoir cherché, on n'en revient pas *qu'il y ait* « un monde » et soi-même dedans, on est moins porté à sursauter à propos de tout et de n'importe quoi, de frousse ou de joie. L'intuition de la contingence avait d'un coup, et à jamais, relativisé mes émotions. Au-dessus de tout planait toujours cette inexplicable existence procédant – mais cela, je me le dirais plus tard –, oui, procédant d'un au-delà de tout. Nous y reviendrons. Et de ce fait, certaines émotions, positives ou négatives, se sont – comment dire ? – futilisées, et d'autres approfondies, à la dimension de cette révélation.

Voilà donc ce qui vous a orienté, et dès l'enfance, vers la philosophie ? Mais peut-être serait-il plus prudent de s'entendre sur une définition de la philosophie.

Une définition de la philosophie... Si j'en juge par l'histoire, on en aurait pour une vie. En effet, sur ce point, comme à propos du « monde » et de la vision qu'on s'en donne, il est bon de préciser de quelle philosophie on parle. Encore un concept accueillant. Trop. Pour l'immense majorité, « la philo », c'est « une épreuve du bac ». Et l'examen passé, ce dont il y est question tombe tout naturellement dans l'oubli. Au reste, tout ce qu'il était censé avoir appris une année durant n'a pratiquement rien changé pour l'élève lambda, même s'il a décroché une mention. La philosophie ? Pour beaucoup de gens, c'est une science, encore qu'au sens large, mais qui s'occupe de... ? Ce qu'ils en disent quand ils en parlent atteste que pour eux l'objet en est à la fois vague et complexe, plus peut-être que de mon temps. La philosophie, ce peut être aussi la longue enfilade des systèmes élaborés par ces donneurs de conseils, ces abstracteurs de quintessence qu'on appelle « les philosophes », souvent sollicités en politique, certains même y faisant figure de gourous. Des penseurs sachant penser qui, soit dit en passant, n'ont jamais pu se mettre d'accord, si tant est qu'ils l'aient cherché. Allez savoir pourquoi, se demande le non-initié qui passe rapidement à d'autres sujets.

La philosophie, enfin, à y regarder de plus près, c'est ce que voulait signifier l'étymologie, qui selon la tradition viendrait de Pythagore : *philia tès sophias*, l'amour qu'on porte à la sagesse. C'est cette acception-là, bien sûr, que j'ai choisie – ce qui m'amène à définir ce qu'on entendait par là. La sagesse... Je dirais : à partir de ce qu'on apprend – et qu'on ne cesse d'apprendre au long d'une vie –, c'est chercher ce qui permettrait à chacun de s'arranger au mieux de cette présence du monde dont nous parlions, et de sa propre présence dans le monde. Cela même implique la recherche du *sens* de cette présence. Bref, la sagesse, ce serait l'art d'être soi dans un monde mieux connu, et de telle manière que son propre comportement aide les autres à être eux-mêmes. « Les autres » : ces gens si différents qu'on appelle ses « semblables ». C'est donc dans la tradition antique de la *sophia* que je me situe, pour en parler comme Pierre Hadot dans *La Philosophie comme manière de vivre*. Ainsi, comme vous, je pense que c'est cette expérience-là, cette soudaine découverte, à l'âge de quatre ans, de la présence inexplicable des choses, cette lancinante question du « qu'est-ce que je fais là ? » qui m'a déterminé, et bien évidemment sans que je le sache, à la *philosophia*. Je crois prudent de reprendre le terme antique, on comprend pourquoi.

De cette présence sentie comme inexpliquée, avez-vous fini par trouver le sens, ou du moins avez-vous le sentiment – comment dire ? – d'y voir plus clair qu'il y a... ?

Qu'il y a quatre-vingt-six ans ? Oui et non. Toujours est-il que c'est à l'histoire même de cette *philosophia* que je dois à tout le moins d'avoir échappé à l'illusion de croire que « ça y était », que j'avais enfin découvert la vérité une fois pour toutes. La grâce m'a été donnée de savoir que je ne savais pas, pour dire cela comme Socrate. Et donc je n'ai jamais eu la tentation, « de la ramener », de me figurer que je « détenais » la vérité. Au fait, « Qu'est-ce que la vérité ? », comme disait Pilate. Aujourd'hui, il dirait : « La vérité, c'est quoi, au juste ? »

Est-ce dans cet esprit que vous avez choisi, comme épigraphe de votre Histoire de la Pensée, *celle d'Umberto Eco extraite du* Nom de la rose : *« Les livres ne sont pas faits pour être crus mais pour être soumis à examen » ?*

Oui, parce qu'il y a des gens qui se figurent savoir. Cela ne m'est jamais arrivé. Et cela ne m'est jamais arrivé précisément à cause de cette intuition. À cause, aussi, des maîtres qui m'ont suggéré certaines choses et donné des méthodes de travail. Ainsi Jankélévitch. Lorsqu'on sortait de son cours, on savait qu'on ne savait pas. Il avait l'art de créer chez les étudiants un désarroi autrement fécond.

L'avez-vous éprouvé, pour votre part ?

Simplement, j'ai découvert que j'étais parti à la recherche d'une transcendance. Vaste programme, mais porteur de joie parce que d'espérance. Stéphane Barsacq l'a dit dans *Simone Weil, le ravissement de la raison*, en présentant ce que dévoile Simone Weil des besoins de l'âme dans *L'Enracinement* : elle saisit « les grandes avancées de la philosophie au miroir d'une exigence de la transcendance ».

Donc, pour vous, la primauté revient à l'histoire de la philosophie plutôt qu'au propos de créer une philosophie nouvelle, qui serait la vôtre, comme le cartésianisme est né de Descartes, le marxisme de Marx, etc. ?

Créer un nouveau système ? Non, merci. Très peu pour moi... Il y a bien assez d'« intellectuels » qui rêvent, comme l'écrivait Georges Gusdorf, de « mettre fin à la philosophie » en disant – enfin ! – le dernier mot, celui qu'on attendait, sur « le fond des choses ». Bien au contraire, cette soudaine intrusion de l'insoluble dans ma vie, si elle me vouait à la philosophie, ce ne pouvait être que telle qu'on la voit à l'œuvre dans l'histoire. Oui, ce que je voulais, c'était découvrir le regard qu'on portait au long du temps sur ce que j'avais soudain entrevu et que je n'oublierais plus. Oui, quel regard portaient sur ce « monde » – le leur, celui d'un autre temps – la suite de ceux qui en avaient comme moi éprouvé le mystère ? Se posaient-ils les mêmes questions ? Qu'y répondaient-ils ? Et surtout, je voulais savoir ce qu'ils tiraient de tout cela pour leur vie de tous les jours ; pour le genre de vie qu'on menait à ces époques. Bref, pour eux, quel sens avait le stupéfiant : *C'est là…* ?

On devine que personne n'est d'accord avec personne.

J'ai tôt appris que les philosophes ont des divergences ; qu'il est plus facile, comme disait Sénèque, d'accorder deux horloges – et rappelons-nous qu'il s'agissait d'horloges à eau, de clepsydres – que deux philosophes. Et point ne m'avait étonné qu'à ce banquet que décrit Lucien de Samosate, à ce déjeuner de philosophes fêtant les noces d'un disciple, les tenants des différentes écoles de pensée se soient « engueulés à mort », dirait-on aujourd'hui, tabassés même, et envoyé le pinard à travers la figure. « Joie, pleurs de joie… » Il n'appartient pas aux hommes de définir l'absolu, sauf, bien sûr, à le relativiser. Et voilà pourquoi il ne m'est jamais venu à l'esprit de me prétendre « philosophe ». Je regarde penser les autres, m'efforçant au passage d'en tirer quelque profit pour mon propre compte. Historien de la philosophie, et donc spécialiste des modernités révolues, je tente de les comprendre, non point abstraitement, mais dans leur monde et dans leur temps, selon leur façon de dire aussi, où abondent les jeux de mots, les clins d'œil, les pseudépigraphes, etc. Un philosophe, ce n'est pas ce que j'appelle un opni, un « objet pensant non identifié » ; c'est quelqu'un qui a vécu à tel moment précis en tel coin du monde, sous tel régime, etc. C'est pourquoi me sont si précieux les travaux des archéologues, des philologues, bref, des savants d'autres disciplines. Il arrive que des liens se créent entre spécialistes appliqués à des objets de recherche bien différents. Sans des gens comme les regrettés Pierre Grimal et Jacqueline de Romilly, comme Robert Turcan, comme Paul Veyne, je n'aurais pas écrit ce que j'ai écrit, parce que je n'aurais pas été ce que tant bien que mal j'ai été.

Vous avez dit que la sagesse visait à « être soi ». Qu'entendez-vous par là ?

Encore et toujours s'étonner de l'*ipséité*, autrement dit de ce fait inexplicable d'être soi et seul à l'être en ce monde. Oui, s'étonner de ce fragment plus ou moins long de durée, unique dans l'éternité. De cette « vérité éternelle à deux pattes », disait Vladimir Jankélévitch, qui en a traité mieux que quiconque. En effet, de ce moi unique que nous sommes, la mort anéantira tout ; tout sauf le fait d'avoir été le temps d'une vie. Ainsi l'ipséité advient dans le temps et seulement pour un temps. Mais procédant de quelle éternité qui en serait le principe ? On ne peut tout au mieux que l'entrevoir, le temps d'un éclair.

On se souvient de la pensée de Vladimir Jankélévitch : « Celui qui a été ne peut plus ne pas avoir été. Désormais, ce fait mystérieux et profondément obscur d'avoir vécu est son viatique pour l'éternité. »

Il reste que cette ipséité éphémère inscrit sa durée unique dans la durée collective d'un monde où elle côtoie d'autres ipséités sans nombre, et tout autant uniques dans l'éternité. Aussi incombe-t-il à chacune de se réaliser en harmonie avec les autres. Là encore, c'est aux Grecs que je me réfère. Car pour y parvenir, il importe d'avoir de soi la vision la plus exacte qu'il se peut. « *Gnôthi seauton*, Connais-toi toi-même », dit l'inscription du temple de Delphes que cite Platon. Ce qui ne veut pas dire : « Abandonne-toi aux délices de l'introspection », mais prends conscience de ce que tu es, sans en remettre, en te gardant toujours de te prendre pour un dieu. Tu es toi, mais sans plus. « *Médèn agan*, Rien de trop. » L'*hybris*, autrement dit la démesure, ici la mégalomanie, est le vice par excellence selon les Grecs. Un vice que la *sophia*, la sagesse, a pour premier effet d'éviter. Et les gens de pouvoir ont pour premier devoir de s'en garder. Socrate y a réussi. Pour rester dans l'ambiance antique du *pneuma*, du souffle, de l'esprit, je dirais : que nul ne souffle plus haut qu'il n'a l'esprit...

Mais vous disant cela, je prends conscience comme souvent que l'homme qui vous parle en ce moment, réactualisant la pensée des Grecs pour tenter d'exprimer la sienne, est un Français né au XXe siècle après J.-C., vivant à quelques lieues de l'ancienne Lutèce, et qu'il fait tout juste ce que faisait Cicéron, un citoyen romain qui vivait au Ier siècle av. J.-C., pour dire ce qu'il avait à dire à d'autres gens. Comme lui, comme tant d'autres l'ont fait au long des âges ; comme d'autres le feront encore, du moins je le souhaite. Ainsi voit-on que l'histoire de la philosophie n'est pas à regarder comme un musée de concepts parcouru par des visiteurs indifférents, mais comme une langue vivante qui évolue avec le temps, et qu'on emprunte avec plus ou moins de facilité pour communiquer ses certitudes, ses doutes, ses espérances, et bien sûr son étonnement. Encore et toujours l'étonnement.

Cet étonnement, cet émerveillement qu'éveille en vous la soudaine intuition de l'existence du monde, ne pourrait-on l'imputer également à la foi ?

De fait, on le peut, et si l'on songe à la foi chrétienne, c'est à saint Augustin qu'on se prend à penser. Que sont en effet *Les Confessions*, sinon, comme je l'ai déjà dit ailleurs, une lettre ouverte à Dieu, où il s'en veut d'avoir mis si longtemps à l'aimer – *sero te amavi...* –, faute d'avoir plus tôt découvert qu'il en était aimé ? Mais enfin, « Tu as ébloui mon regard infirme par la force de ton rayonnement ». Toutefois, dès lors qu'on rapproche les deux expériences, il convient de distinguer les plans sur lesquels l'étonnement, l'émerveillement se manifestent. Ainsi, c'est d'une synthèse de sensations que naît l'intuition de la présence de ce monde, et c'est la raison qui s'en empare pour déterminer la cause, à la fois de l'objet – ce monde découvert comme présent – et du sujet auquel il se révèle. Sujet qui se met alors à parler de contingence, de principe, de transcendance, etc., attentif à l'authenticité de l'expérience – qui n'est pas un rêve, ni une hallucination – et à la rigueur des raisonnements amenant à d'éventuelles conclusions, mais dans une perspective différente de celle de la physique.

Si à présent nous considérions la démarche d'un croyant qui s'adresse à son Dieu par la prière, ou qui accomplit tel rite que lui impose sa religion ?

Ce à quoi le croyant adhère est d'une autre nature que l'intuition de la contingence dont nous parlions. Il s'agit pour lui d'une révélation dont Dieu lui fait la grâce, et il se peut que la ferveur de sa foi suscite en lui l'étonnement, l'émerveillement, devant ce qu'il lui est ainsi donné. J'évoquais Augustin à l'instant. Les *Confessions* montrent d'un bout à l'autre qu'il n'en est jamais revenu, dirait-on aujourd'hui, de s'être découvert aimé de Dieu et à ce point. Lui qui, se rappelant, quitte à en remettre un peu, ses écarts de jeunesse – luxure, vanité, arrivisme, tout y passe –, se voit odieux. Mais c'est Dieu en personne qui lui a fait don de l'amour qu'il lui voue en retour. Et la nature même de cette révélation intérieure, son contenu, tout cela est écrit dans les textes sacrés, dont la vérité est celle même de Dieu. C'est donc d'un mystère qu'il s'agit, et comme tel transcendant le rationnel. Le très augustinien Pascal le rappelle : « La foi est différente de la preuve : l'une est humaine, l'autre est un don de Dieu [...], mais cette foi est dans le cœur, et fait dire *non scio* mais *credo.* » *Je ne sais pas* mais *je crois*. Au reste, les textes des mystiques chrétiens, et de toutes les époques, sont-ils autre chose qu'un long cri d'émerveillement devant ce qu'ils ont un instant entrevu ? On notera toutefois que tous en appellent à l'apophatisme, disons : au mutisme rationnel, bref, au silence contemplatif. Redira-t-on jamais assez le mot de Paul Veyne : « La vérité est plurielle » ? Et sera-t-on jamais assez attentif à ne confondre point ce que, dans *Les dieux ne sont jamais loin*, j'ai appelé « le cru et le su », même s'il est loisible de s'émerveiller de l'un et de l'autre ? N'est-ce pas le même Pascal qui met au point une calculatrice, la « machine arithmétique », compose le *Traité du vide*, et qui, une certaine nuit du 23 novembre 1654, écrira : « Joie, pleurs de joie, paix, certitude » sur un papier qu'il coud dans sa veste ? Ce que Paul Valéry verra comme une perte de temps. Comme quoi, quand il s'agit du cru et du su, on n'est jamais trop prudent.

Cette «philosophia» qui est la vôtre, marquée par l'intuition, pour vous toujours insolite, de la contingence de l'être ; hantée aussi par ce qui a pu s'en dire au long de l'histoire, tout spécialement dans l'Antiquité – oui, cette «philosophia», que doit-elle, selon vous, aux maîtres que vous avez rencontrés ?

Elle doit d'exister encore, et c'est une chance quand on considère l'ambiance philosophique du siècle dont j'aurai traversé une aussi grande partie. Aucun « intellectuel », qu'il ait professé « le petit rationalisme », comme dit Merleau-Ponty parlant des débuts du XXe siècle, ou le marxisme ou le structuralisme, non, aucun n'aura réussi à exorciser en moi cette intuition originelle. Ni d'ailleurs à m'entraîner, comme l'auraient pu faire certains pédagogues plus soucieux de transformer le monde – on a vu ce que cela a donné – que de le comprendre, si tant est qu'on le puisse. J'ai été tôt vacciné contre l'idéologie, que Jean-François Revel a si bien définie comme « ce qui pense à votre place ».

III

Trois hommes

Vous m'avez déclaré une fois : « Ce furent les années de guerre et d'après-guerre, rudes années, mêlant études et travail, comme c'était le cas pour tant d'entre nous. Le temps, pour moi, de la philosophie en Sorbonne et de l'histoire à l'École des hautes études, car je me disais qu'un philosophe – si tant est – obnubilé par les seuls concepts et un historien enfoui dans les batailles et les traités ne sortaient plus de l'espace-temps des bibliothèques. Naïveté de jeune, sans doute. La Sorbonne d'alors, "en philo", c'était une pléiade de grands, dont me reviennent, s'ils m'ont jamais quitté, les visages et dont j'entends les voix comme si j'étais "dans l'amphi" : Raymond Aron, Georges Canguilhem, Henri Gouhier, Jean Hyppolite, Pierre-Maxime Schuhl, Maurice de Gandillac, Ferdinand Alquié à l'inimitable accent, Vladimir Jankélévitch, bien sûr... Et aux Hautes Études, Jean Orcibal. Oui, grande fut ma chance. » À ces noms, il faudrait ajouter celui de Sartre, auquel vous gardez un attachement.

De lui j'ai tout lu, sauf sa *Raison dialectique* qui m'était tombée des mains. Je dois à Sartre un certain regard, ce parti pris phénoménologique qui m'est resté après que la philosophie m'eut quitté : je la trompais avec l'histoire... Le voudrais-je qu'il ne me serait pas facile de me déprendre de Sartre. Politiquement, je n'étais pas de sa paroisse. J'ai toujours préféré, à rebours de la « rive gauche prolétarienne », avoir raison avec Raymond Aron que tort avec Sartre. Aucune importance : je ne fais pas partie de l'intelligentsia et ne suis même pas sûr, à l'heure qu'il est, d'être *politically correct*. Je n'en fus pas moins peiné et furieux quand des imbéciles, d'extrême droite ceux-là, plastiquèrent son domicile à deux reprises. On pouvait tout craindre.

Vous aimez beaucoup ses Carnets de la drôle de guerre, *sans doute car vous avez également traversé cette période – période qui faillit vous être fatale. De 1943 à 1945, du fait que vous avez été dénoncé comme réfractaire au STO, vous avez été déporté vers une usine d'explosifs du côté de Hanovre. Finalement, l'armée britannique vous a libéré et a mis fin à cette expérience de l'horreur et « de l'homme à l'état sauvage » que vous n'aimez guère évoquer. Pourquoi alors cet intérêt pour les* Carnets *de Sartre ?*

L'ensemble est humainement captivant et philosophiquement utile. Sans même parler de la teneur historique du document : sur cinq mois, la chronique d'une déconfiture annoncée. On la sent venir, jour après jour, dans les notes de ce « troufion lambda », quelque part en Alsace, entre septembre 1939 et mars 1940. À cela près que l'homme de troupe en question – excusez du peu – s'appelait Sartre, Jean-Paul, matricule numéro tant. Je dirais volontiers que ces *Carnets* vont permettre à plus d'un de faire le départ entre le Sartre « bien de son temps » et le Sartre « tel qu'en lui-même enfin... », au-delà de son temps. Je m'explique. Sartre, comme tout philosophe venant en ce monde, est pris dans la couche géologique de son siècle, à l'instar de ces formes fossiles qui s'étagent à chacune des strates du Grand Canyon, en Arizona, et qu'on peut dater au carbone 14. La façon dont Sartre parle des bourgeois, des ouvriers, des classes, du capital, tout cela sent son 1936-1939. Comme sentent leur Ve siècle les démons de saint Augustin, qui s'affairent dans l'air humide, ou leur XVIIe les esprits animaux de Descartes : toute cette paléontologie qui est notre tâche en histoire des idées. Cela rangé au muséum, on peut regarder – et là est le passionnant – deux philosophes s'emparer du Sartre bien vivant : Husserl et sa phénoménologie, puis Heidegger, la coqueluche du moment. Ce mot de Jankélévitch, un an plus tôt, dans *L'Alternative* : « Expression d'un certain Heidegger, qui fait fureur dans les salons parisiens.

Se portera beaucoup cet hiver... » Mais Sartre lisait Heidegger, si je puis dire, pour le bon motif. On le voit littéralement aux prises avec ces deux pensées à la fois. Pages fascinantes, qui déjà m'avaient captivé dans l'édition de 1943 et que j'avais lues, il m'en souvient, à mes étudiants. Surtout, dans ces feuillets écrits sur un coin de table, je vois se former l'œuvre, romanesque et philosophique. Une œuvre qui doit tout à Husserl et Heidegger, et à la fois ne leur doit rien, puisque sous la diversité de ses formes à venir, c'est une vision unique, la sienne, qui advient en ce monde.

Il faudrait tout relire, *Les Chemins de la liberté*, *L'Être et le Néant*, où j'avais vu prendre corps dans des mots et rester heureusement sans réponse ma hantise de toujours, absurde : pourquoi diable quelque chose plutôt que rien, et que sommes-nous venus faire là-dedans ? Et ce n'était pas parce que je gardais le Dieu que Sartre écartait, avec d'ailleurs cette absence de hargne à quoi l'on reconnaît les vrais athées, que j'aurais renié cette rencontre. Au contraire : Sartre m'avait à jamais désinfecté de la métaphysique facile, celle qu'on attrape aux cours de philo sommaires ou « orientés » – ce besoin de vraies-fausses certitudes, pour, contre, rayez la mention inutile –, ou aux prêches apologétiques. Le Graal était ailleurs. Pour moi, une autre quête avait commencé. Sartre m'avait offert une méthode. Je m'en sers encore. Malraux a dit dans *L'Espoir* qu'être aimé sans séduire est un des beaux destins de l'homme. Sartre ne m'aura pas séduit. Mais...

Autre homme qui a compté pour vous, et autrement, c'est Vladimir Jankélévitch, dont vous avez découvert l'œuvre en 1949. Je vous cite : « C'était la première édition du Traité des vertus. *Et si je ne craignais de pousser un peu loin le pastiche, je dirais que m'advint ce qui était arrivé à saint Augustin à qui l'on avait prêté des textes de Plotin et de Porphyre : ma façon de voir s'en trouvait changée du tout au tout ».*

Chez Jankélévitch, ce qui m'avait fasciné dès les premiers instants, c'était son style, une façon de dire et d'écrire qu'on n'a jamais connue qu'à lui. Un débit haletant, qui vous entraînait sur un rythme endiablé ; une prose d'où surgissait l'inattendu, et cependant construite comme une fugue. Au reste, Jankélévitch était musicien... Du coup, la profondeur de ce qu'il dévoilait n'en était, si je puis dire, que plus profonde. Mathurin Maugarlonne a raison, quand il dénonce malicieusement son « goût de la provocation ». Voilà qui attaquait l'éclat des certitudes inoxydables, le faux brillant du plaqué-vrai. Ce qu'à le lire, à l'entendre, je découvrais, ce n'était évidemment pas ce que d'autres philosophies m'auraient donné : la réponse à la question que me posait cette sacrée intuition de la contingence

– question qui par essence n'en pouvait avoir –, ou son éviction sous le fallacieux prétexte que je m'égarais en la formulant. Toutes les questions, je les retrouvais chez lui, se posant de telle manière que c'était de leur ensemble que nous advenait comme une lumière. La question répondait à la question. Je songe au mot de Bergson que Jankélévitch citait volontiers : « Je ne sais pas encore, mais je sais que je vais avoir su. » Dans la lignée de Bergson, dont Jankélévitch était le disciple, et de Plotin dont Bergson s'inspirait, le principe même de cette présence insolite du monde était – je cite encore Bergson, lui-même cité par Jankélévitch – « quelque chose de simple, d'infiniment simple, de si extraordinairement simple que le philosophe n'a jamais réussi à le dire ». Et c'est sur cet écho venu de Plotin que s'achèvera, des années plus tard, le livre de Jankélévitch, *La Mort* : « Si simple que nous nous demanderons, le jour où nous saurons, comment nous n'y avons pas pensé plus tôt. »

Vous vous êtes retrouvé chez vous chez lui.

Oui. En ces années d'après-guerre – d'après deux guerres –, où chacun se refaisait tant bien que mal une santé et un moral, la si lointaine pensée de Plotin avait fait naître la philosophie que j'attendais. Parti à la recherche de l'absolu – vaste programme –, un absolu qui de surcroît se serait concrétisé dans des mots, voilà bien que je découvrais, au-delà même des mots, une pensée attentive comme aucune à l'incessant surgissement du monde, et à l'unicité du sujet qui le perçoit et n'en revient pas, car de fait, il y a de quoi s'émerveiller. J'émane de moi-même en même temps que de mon principe. J'entrevois – je ne puis qu'entrevoir – ce « minuscule printemps qui ne sera jamais plus », comme le dit Jankélévitch. Et chez lui, les mots se bousculaient pour suggérer l'indicible. À l'instar du jeune Plotin découvrant Ammonios Sakkas, j'avais trouvé le maître que j'attendais. Il l'est toujours.

Vous avez également entretenu un lien de proximité avec lui. Vous dites à son sujet : « L'émerveillement nous était rendu par cette pensée si nouvelle et si ancienne, par cette façon de voir – mieux : d'entrevoir – attentive comme aucune à l'incessant surgissement du monde et à l'unicité du sujet qui le perçoit et n'en revient pas de le percevoir, car il y a de quoi. » Cet émerveillement est-il resté intact ?

Pour moi, pour nous tous qui avons travaillé avec lui, Jankélévitch sera toujours « Janké », le patron qui aimantait, plus qu'il ne la régissait, l'équipe de la regrettée Sorbonne où je fus modeste chargé de cours au tout début des années 1960. C'était aussi l'ami qui, étrangement, alliait la distance et l'enjouement, la chaleur et la réserve. Comme tous les timides, il nous intimidait en nous mettant à l'aise, et d'emblée nous savions que l'ironie descend et ne monte jamais. Car il nous blaguait, gentiment, mais avec une allégresse visible. Dans le genre : « Vous ferez une grande thèse. Et du reste, vous avez déjà une grande serviette... » Profondément attaché à son identité juive, il aurait pourtant damé le pion à plus d'un ecclésiastique sur les Pères de l'Église et les grands mystiques chrétiens. Avec juste ce qu'il fallait de distance amusée, comme dans cette lettre où, me citant l'Évangile, il ajoutait : « Comme dit Notre-Seigneur – enfin, Votre-Seigneur... » Mais s'il lui fallait nous défendre contre les manigances de quelque mandarin malveillant, borné, ou les deux, alors, il savait s'engager par une lettre implacable : j'en ai eu la preuve. Mai 68 nous avait éloignés, point séparés. Il s'y était engagé de trop bonne foi à mon sens, alors que je ne cachais pas mon aversion pour ce psycho-sociodrame bourgeois. Mais l'amitié, la confiance aussi continuaient de brûler sous les cendres.

Chacun de ses livres emportait nos pensées comme dans un tourbillon, et nous nous retrouvions plus nous-mêmes qu'avant. Non que nous ayons forcément ni toujours empilé de nouvelles connaissances sur les vieilles. Simplement, et sans que nous puissions dire comment, nous nous trouvions savoir autrement ce que nous avions cru savoir. Le monde devenait d'un coup inépuisable, et nous plus modestes à proportion. Oui, c'est ainsi que nous l'aimions, et c'est pourquoi, commémorant l'un des anniversaires de son départ, c'est sans tristesse que nous l'évoquions, avec Louis Sala-Molins, avec Pierre Trotignon, vieux amis de ce temps. On en parlait comme d'un corps glorieux, d'un esprit, de quelque chose de ce genre. Nous fût-il apparu que nous n'aurions pas été surpris, et lui se fût bien diverti de ce bon tour.

Et puis comment ne pas lire et relire la lettre du 20 décembre 1940 qu'il adresse à l'un de ses amis, Beauduc ? Lieutenant d'infanterie, blessé de guerre, Jankélévitch y apprend à son camarade qu'il vient d'être destitué, car il tombe sous le coup des lois raciales de Vichy. « On m'a découvert deux grands-parents impurs, car je suis, par ma mère, demi-juif ; mais cette circonstance n'aurait pas suffi si je n'avais, de surcroît, été métèque par mon père. Cela faisait trop d'impuretés pour un seul homme. Je me trouve dès maintenant sans situation et sans ressources... Je voudrais bien foutre mon camp, au Groenland ou ailleurs, avec mes œuvres complètes. » C'était la France de ces années-là. Il ne faut jamais perdre les guerres. Ni son âme.

Un autre maître, ce fut Jean Orcibal, grand spécialiste du XVIIe siècle et de Port-Royal. Comment en êtes-vous venu à être son élève ?

Pascal m'intriguait – cette coexistence, bien sûr, chez lui du mysticisme et de la science, du cru et du su, comme je disais. Orcibal m'en apprendrait tout ce que j'en pouvais savoir, me laissant toutefois certain qu'il m'en resterait toujours autant à chercher. À l'instar de saint Augustin, une fois de plus. Orcibal – « sa monstrueuse érudition », comme un critique écrivait de lui, focalisée sur le jansénisme et cependant ouverte à ce que rayonne d'amour des autres le christianisme. Il en aura touché plus d'un. Je disais il n'y a pas si longtemps à un collègue : « Orcibal ? Il aurait donné à n'importe qui l'envie d'être chrétien », mon interlocuteur sourit et, rêveur, murmura : « Le salaud... »

Ce savant, dont pas mal de disciples sont connus – Armogathe en parle dans ses Mémoires, *Raison d'Église. De la rue d'Ulm à Notre-Dame* –, vous ôtait, et pour toujours, toute illusion d'en savoir assez de quoi que ce soit. Plus jamais vous ne seriez sûr de vous ; votre corbeille à papier s'emplirait le soir de feuilles que le matin vous imaginiez définitives, inoxydables. Pas une citation dont les références ne seraient contrôlées, et deux fois plutôt qu'une, et dont vous vous demanderiez – un souci de plus – si elle était bien authentique. Il y a tant et tant de vrais-faux, de pseudépigraphes... Avec Jean Orcibal, on écoutait les livres parlant aux livres, et d'autres façons de les lire s'imposaient, auxquelles personne n'avait encore pensé. Armogathe l'assista dans ses derniers instants. Il raconte : « Jean Orcibal, tirant sur son drap, me confia : "Dites bien à vos étudiants, Armogathe, qu'il faut creuser. Je n'ai fait qu'égratigner la surface, il faut encore beaucoup creuser !" » Il repose à présent au cimetière de Libourne, « sa petite patrie », dirait Plutarque. Le TGV file trop vite : à peine ai-je le temps d'entrevoir la blancheur des croix quand je passe par là pour me rendre à Bordeaux.

Mais quel genre d'homme était-ce pour vous avoir fait une telle impression ?

À l'École des hautes études, où j'étais venu avec le ferme propos de me dépayser, d'apprendre d'autres choses, étrangères à mon « créneau », il enseignait de sa voix monocorde, un peu hachée, comme s'excusant de trop savoir. Ni la Rue d'Ulm ni les Écoles françaises de Rome et d'Athènes n'avaient eu raison d'un reste d'accent girondin qui me rappelait ma jeunesse bordelaise. Ce célibataire de naissance, qui longtemps vécut dans un modestissime hôtel du Quartier latin, vénéré du petit personnel, fuyait le monde sans y mettre d'ostentation ni étaler son humilité. Jamais nul n'aura vu « aux étranges lucarnes » ce visage paisible, discrètement souriant, ce regard bleu, attentif, comme étonné. Vêtu hiver comme été des mêmes tenues impeccables et sobres, que complétaient les spires multiples d'un long cache-nez blanc, il me faisait penser à l'Adrien Sixte du *Disciple,* avec la gentillesse et le christianisme en plus – ce qui changeait tout. On le disait même janséniste.

Tout ce dont je puis témoigner, c'est qu'il vivait les Évangiles au présent, et jusque dans les détails d'une journée. Ainsi, quand un dimanche matin, la commission me déclara digne du titre de l'École, Jean Orcibal dut bien s'être mis en quête d'un bureau de poste ouvert le dimanche, puisque j'appris la chose dès le lundi matin (en ces temps-là, les Postes travaillaient d'une autre façon). En plus d'une circonstance, je trouvai auprès de lui une chaleur dont la vie m'avait de longue date déshabitué.

Toute une pléiade d'universitaires sont sortis de cet étage de la Sorbonne – escalier E –, quelques ecclésiastiques aussi, Jean-François Six, Michel de Certeau, le cardinal Poupard, qui fut ministre de la Culture du Vatican. À ses disciples, il a donné pour leur vie, sans avoir l'air d'y toucher, la rigueur de la méthode, le scrupule du texte, la hantise de la référence exacte.

IV

De la présence et de la banalité

Vous dites avoir été un moment tenté par la notion de présence, au point d'avoir envisagé d'y consacrer une thèse ?

Oui, ce qui m'avait un moment tenté dans cette idée de présence – je dis bien : dans cette idée, car on met sous le mot tant et tant de choses ! –, c'était que je croyais voir là comme l'extension dans la durée de ce fameux instant, de cette intuition fondamentale, originelle, que j'ai déjà plus d'une fois évoquée. L'intuition de la contingence : elle m'avait imposé d'un coup la présence d'un « monde » que jusque-là je n'avais jamais distingué comme tel dans l'écoulement de mes journées de gamin. Le monde, pour moi, devait être très proche de ce qu'il est pour un chat, un chien, une oie, attentifs à leurs seules envies et craintes. Comme ces braves bêtes, je devais être, dit Nietzsche, « attaché court au piquet de l'instant ». Et après cette fulgurante intuition,

« le monde » en son ensemble était définitivement là. Il était... *présent*, même si le mot et tout ce qu'il recouvre ne devait me venir que plus tard.

Dès lors, déjà pris dans et par la philosophie, je me disais – naïvement – qu'à analyser la notion, cette notion de présence qui si souvent nous vient à l'esprit, et qui porte sur les gens comme sur les choses, j'en saurais sûrement plus sur cet insondable instant de ma petite enfance. Une obsession comme une autre, non ? Il y a toujours un rien d'obsession dans l'acte de philosopher ; un peu, parfois beaucoup. J'en saurais plus, puisque l'instant en question se dissoudrait dans la durée ; l'intuition se multiplierait en autant d'expériences concrètes qu'il est requis pour la mieux comprendre. Pardonnez-moi si je pastiche un peu le *Discours de la méthode*...

Alors, je me suis mis naïvement à analyser « tout ce qu'on mettait là-dessous ». Tout, car « présent », encore une fois, on le dit de tout et de rien. Au surveillant général qui fait l'appel, on répond « Présent ! » ; on conjugue un verbe « au présent » ; on était « présent » à un mariage où l'on s'ennuyait fort, et à une conférence que l'on a écoutée avec passion, et de bout en bout. Et il arrive qu'on dise de nous – de moi en tout cas : « Il était là sans être là... » Et l'absence d'un être aimé est bien ce dont on souffre le plus, ne craignant rien tant que son basculement dans le définitif. Et pourtant, tel être que nous aimons et qui maintenant « n'est plus » nous est aussi présent qu'aux temps heureux où nous bavardions. De telle personne chère, il m'arrive de dire : « Elle n'est pas morte ; c'est un air qu'elle se donne. »

Bref, il y avait tant et tant d'« états de présence » – physique, psychologique, intellectuelle, voire tout cela à la fois – que j'ai mis un certain temps à m'aviser que cela me conduisait chaque fois à une aporie, et je ne voyais pas pourquoi je n'en… voyais pas plus sur mon intuition originelle de la contingence. Et cela, j'allais le comprendre un jour, en lisant Jankélévitch, précisément. J'avais mêlé « l'instant et l'intervalle », selon son expression. C'est alors que j'ai consacré ma thèse de doctorat à la banalité. Oui, à ce qui ressort du fait qu'on voit les choses sans les regarder, qu'on les regarde sans les voir, bref, qu'on ne s'étonne plus. Alors que devrait toujours nous étonner, nous stupéfier, même, qu'*il y ait* un monde. Nous stupéfier, comme il était advenu à l'enfant que j'étais alors – et qu'il advient encore et toujours au vieil homme que je suis devenu.

Finalement, vous avez soutenu une thèse qui s'intitulait « De la banalité » – avec un sous-titre qui pouvait avoir de quoi rassurer ou inquiéter, c'est selon : « Durée personnelle, durée collective ». Un sujet plutôt déconcertant, à première vue. Comment l'idée vous en était-elle venue ?

De l'étonnement, bien sûr… Comme toujours en philosophie. Moi pour qui tout être en ce monde est original par le seul fait d'exister, d'être là – encore et toujours cette intuition originelle de l'être et de sa contingence –, j'étais surpris d'entendre tant de gens déclarer, à propos de tout et de rien : « C'est banal... » Car je m'avisais que « banal » se disait de tout, d'un film, du discours d'un ministre posant quelque première pierre, d'une chambre d'hôtel, d'une conversation entre collègues, d'une grippe, de tout, vous dis-je. Bref, il était banal d'entendre déclarer banal ceci ou cela. Il devait bien y avoir quelque chose là-dessous. Ou, comme on dirait dans l'optique phénoménologique qui, par parenthèse, est la mienne : sur le trajet de quelle intention de la conscience surgit ce jugement de banalité ?

J'avais mon sujet de thèse, et Jankélévitch le trouva à son goût. Je revois son sourire ce matin-là, quai aux Fleurs où il habitait : « Je me demande comment je n'y ai pas pensé moi-même... » Voilà donc ce qu'il me faudrait défendre salle Liard quelques années plus tard. Défendre est le mot, car dans le jury, je n'avais pas que des amis. Toujours est-il que quinze jours après la soutenance, Jankélévitch m'appelait au téléphone, me demandant si je disposerais d'un moment pour lire une thèse. Il entendait que je sois du jury... Je n'imaginais pas être un jour de ses assistants, ni que j'écrirais sur sa philosophie un petit livre, ni qu'on me demanderait après sa mort de préfacer le diplôme d'études supérieures – la maîtrise d'aujourd'hui – qu'en 1924 il avait consacré à… Plotin, *Ennéades, I.3. Sur la dialectique*. La vie vous réserve de ces surprises. Cette dernière m'a ému.

De cette thèse, qui allait donner de votre philosophie – disons : de votre « vision du monde » – la première expression, quelles étaient les grandes lignes ? Et avanceriez-vous aujourd'hui ce que vous souteniez salle Liard ce jour-là ?

De ce dernier point, il a été question lors de la réédition de cette thèse en 2005 chez Vrin, soit trente-neuf ans plus tard. Permettez que je me relise : « Les temps ont-ils changé ? Certes. Au reste, que font-ils d'autre depuis que les hommes ont pris conscience, au cours des âges, d'avoir commencé un certain jour et de devoir finir de même, dans un monde qui était là avant eux et qui, selon toute vraisemblance, continuera après ? Et il en ira de même aussi longtemps qu'il restera aux hommes de quoi se saisir comme étant de passage dans un monde qui passe… »

Parmi les membres du jury, on trouvait Pierre-Maxime Schuhl, Raymond Polin, Mikel Dufrenne, Vladimir Jankélévitch…

Je me rappelais, en effet, le sourire un rien malicieux de Pierre-Maxime Schuhl, qui présidait le jury : « Vous aurez sûrement voulu décourager une certaine catégorie de lecteurs ? » J'ai donc choisi : *Durée personnelle et durée collective*. Il apparaîtrait ainsi que tout, dans cette étude, était centré sur la durée vécue. Or la durée de tout être humain, comme telle unique dans l'éternité, la durée donc de l'ipséité, s'inscrit nécessairement dans la durée collective. Ainsi, ce dont Durkheim parlait en termes de conscience – la conscience collective –, j'en parle en termes de durée. On verra là l'influence rémanente du bergsonisme, qui persiste chez moi comme chez Jankélévitch. Cela, en effet, me semble préférable pour la bonne raison que de cette implication des deux centres de durée, personnelle et sociale, on ne prend pas toujours conscience à tout moment. On est bien souvent « comme tout le monde », et comme pour bien des gens, les choses sont là sans être présentes. On les regarde sans les voir ; on les voit sans les regarder. Et tout soudain, il arrive que telle chose vous déçoive : c'est précisément ce que révèle le jugement de banalité : le sujet, qui soudain se sent unique à être soi, se voit cependant condamné à être aussi... « comme tout le monde », alors qu'il se voyait plutôt mieux. Dénoncer la banalité de ceci, de cela, ce serait, en somme, témoigner de sa propre unicité à partir de la similitude en laquelle on déplorerait de se voir embourbé. Et voilà pourquoi tant de choses sont dites banales, au point qu'il y a, si je puis dire, une banalité de la banalité.

À la fin de ce livre, vous écrivez : « Tout reste à faire ou à dire de ce qui a été fait ou dit, et de ce qui est fait et dit en ce moment même par tout le monde. Tout reste à vivre de ce qui a été vécu et de ce qui se vit à l'heure qu'il est entre les hommes. »

J'expose les différentes attitudes qu'adoptent à l'égard de « la banalité comme telle » ceux qui la tiennent pour une réalité. La fuite en direction de l'originalité systématique ; le propos de valoriser ou de transmuer, comme l'ont fait dans l'art, dans la littérature, ceux qu'on appelle réalistes, naturalistes, surréalistes ; la résignation de ceux qui s'y installent en raison de la paix qu'ils y trouvent. Et j'achève par cette conscience que nous ferions mieux de prendre, de « ce paradoxe d'un Je au pluriel », comme dit Jankélévitch, dès lors que c'est notre condition. Ce qui nous conduirait à assumer la banalité sans jamais nous y résigner. Encore faut-il pour cela découvrir en nous ce perpétuel « pouvoir de commencement » qui fait des réalités les plus communes, l'amour, la mort, autant « de neuves banalités », selon un mot de Jankélévitch. Il nous faut « être comme tout le monde de façon unique ». Bref, vivre chacun comme personne le présent de tout le monde. *Unicus inter pares*. Et faire en sorte, s'il se peut, que les autres, que tout le monde, y trouvent quelque bien.

V

Des mythes

On comprend que les mythes constituent un bel objet d'étude pour l'historien et le philosophe que vous êtes, puisque le sujet marie à merveille les deux disciplines. Vous m'avez dit à propos de la contingence : « L'intuition de la contingence allait d'un coup et à jamais relativiser nos émotions. » Cette intuition a-t-elle une part dans la construction des mythes, auxquels vous vous êtes intéressé de très près, puisque vous leur avez consacré un ouvrage, Les dieux ne sont jamais loin *?*

Elle en est même, sans aucun doute, à l'origine. Encore faut-il s'entendre sur le sens du mot mythe ! Autrefois, les Grecs disaient *en archè* pour dire le commencement des choses. Les Hébreux ont fait de même : « Au commencement, Dieu créa le Ciel et la Terre. » Ces allusions aux commencements renvoient à un temps où nous n'étions pas, le temps des mythes et des légendes. Il faut prêter l'oreille et entendre le mot tel qu'il était dit alors. Il y a en effet un grand décalage entre ce que nous, dans notre XXIe siècle, nous mettons sous le mot *mythe* et ce que les Grecs mettaient sous le mot *muthos.* Le *muthos* n'avait rien à voir avec ce mot qui surgit, tous les jours, dans les conversations, dans les journaux, à chaque détour du quotidien – de l'*Alltäglichkeit*, pour faire heideggerien –, ce terme qui recouvre à la fois quelque chose d'impossible : « Le bonheur parfait ? La paix au Proche-Orient ? Des mythes ! », ou bien un paradigme de rêve et d'idéal. J'ai vu, l'autre jour, dans la vitrine d'une agence de voyages, une affiche qui offrait, pour une somme pas si modique, un séjour dans les « palaces mythiques » de l'Inde. On a l'Éden et l'Olympe qu'on peut. Bref, le mot est galvaudé : pour nous, le mythe, c'est l'équivalent d'une aimable foutaise, de petites histoires bonnes pour les simples et les naïfs. Dans les temps primitifs, il s'agissait de tout autre chose. Le *muthos*, en grec, désignait une parole, un récit, avant d'en venir à désigner une légende, une fable plus ou moins crédible – ce que désignait aussi le mot *logos* qui, lui, prendrait avec le temps la connotation rationnelle, philosophique, religieuse que l'on sait. Le mythe, c'était une dimension de la vie des hommes de cette époque, un récit du fond des âges qui nous oriente vers une transcendance. Toutes ces légendes qui ont accompagné l'humanité pendant des siècles, elles l'ont accompagnée parce que les hommes y lisaient quelque chose et comprenaient la leçon derrière les mots, l'enseignement qu'il était bon de décrypter et d'entendre. Le mythe accompagnait l'homme parce que l'homme en avait besoin. L'homme est un être d'attente, de peur et d'espérance. Il faut essayer de se mettre dans la peau des hommes primitifs qui ne comprenaient rien à ce qui se passait autour d'eux et cherchaient une explication aux orages, aux séismes, aux éclipses, à tout ce qui surgissait anormalement dans leur quotidien et les menaçait. Derrière ces manifestations de la nature, ils imaginaient une présence à qui ils attribuaient les phénomènes ; cette présence offrait une explication et préservait leur esprit du sentiment de l'absurde. Avec les mythes, ils étaient moins seuls pour subir ces manifestations effrayantes et pour affronter ce grand scandale de la vie, qui est la mort. La conscience de la mort, c'était la première forme de l'être au monde, d'être soi en particulier au monde. Le mythe était une garantie contre ce scandale abominable : tel ami que j'aimais est maintenant en terre, et c'est fini, il ne me parlera plus jamais. Tel être que j'adorais, je ne le reverrai jamais plus, nous ne serons plus jamais *ensemble*. Alors, que faire ? Ce cri de désespoir remonte à la nuit des temps : on l'entend déjà dans *L'Épopée de Gilgamesh*, lorsque Gilgamesh perd son ami Enkidu. Le mythe rend les choses moins scandaleuses car il offre une explication. Il tue l'absurdité car l'absurdité serait absolument insupportable. On se transmettait ces légendes comme un matériau précieux, parce qu'elles véhiculaient un certain savoir-faire, une manière d'être des prédécesseurs, voire un art de vivre. Les Anciens ont pris grand soin de garder précieusement les textes qui les fixaient et, pour qu'ils ne se perdent pas dans la mémoire des gens, ils leur ont toujours attribué un sens allégorique.

Quelle « explication » du monde ces mythes ont-ils offerte aux hommes dans les premiers âges ? Ont-ils évolué au cours des temps et comment ?

Dès les tout premiers textes dont dispose l'histoire – *L'Épopée de Gilgamesh*, Homère, Hésiode, la Bible… –, les dieux sont là. De même, en Égypte, en Grèce, à Rome, on les reconnaît, sculptés ou peints. Leur présence atteste que déjà, et depuis belle lurette, les hommes d'alors avaient réalisé qu'ils n'étaient que de passage en ce monde. Ils confirment qu'à un certain moment l'homme s'est éveillé au temps, qu'il a commencé à raisonner et donc qu'il a quitté, définitivement, le sempiternel présent de ses ancêtres préhominiens, qui ne se posaient pas plus de questions qu'avant eux le diplodocus moyen, ou que de nos jours la vache regardant passer le TGV. Du coup, l'*Homo sapiens* en a trop su, et pas assez. De là ces questions, ces angoisses : qu'est-ce qui était à l'origine de ce monde et de ce qui s'y passait ? Vers quoi allait-il ? Qui présidait aux manifestations climatiques, aux mouvements géologiques et, enfin, à ces morts qui l'entouraient ? Et que devenaient ces morts, après la mort ? Il fallait quand même que tout cela eût un sens et ce sens, les mythes le lui ont fourni. Où qu'il vécût, l'*Homo sapiens* savait, dès son enfance, comment les dieux s'y étaient pris pour tout fabriquer, à partir de quoi, parfois à partir de rien, et comment s'étaient déroulés les premiers matins du monde. Quels que fussent leurs noms, selon les civilisations, Inde, Perse, Égypte ou Grèce, les dieux s'occupaient de tout. Immortels, ils ressemblaient étonnamment aux mortels. Ils vivaient leurs aventures, sur un mode un peu plus surnaturel. Enfin, ils n'avaient pas bon caractère et il valait mieux ne pas s'attirer leurs foudres. On ne vivait certes pas mieux au temps des mythes, mais le monde avait gagné en cohérence et l'angoisse avait trouvé son antidote dans le soupçon d'espérance qu'offraient les dieux. Paradoxalement, avec l'extension au monde des notions de cause et d'effet, c'étaient les mythes qui gratifiaient l'*Homo sapiens* de la première forme du rationnel. Tous les hommes de cette époque croyaient-ils dur comme fer à ces histoires merveilleuses et rassurantes ? On ne peut répondre de façon précise à cette question qu'en considérant la mutation qui survint au VIIe siècle avant notre ère, du moins à nous en tenir à l'Antiquité gréco-romaine, dans la manière de regarder le monde. En effet, plutôt que sur la mystérieuse cause première des choses, ce fut sur « leur nature » que les hommes se sont avisés de réfléchir. En observant les astres, en méditant sur des figures dessinées sur le sable comme le faisait Archimède, en regardant l'ombre portée des pyramides comme Thalès, en associant les nombres aux figures comme Pythagore, ils virent tout autrement le monde. La physique était née, et l'*Homo sapiens* commençait à comprendre, pour de bon. Pour autant, il n'a pas remis l'existence des dieux en question. C'était bien un cadeau qu'ils lui faisaient que de le laisser découvrir qu'il n'était pas besoin de remonter jusqu'à eux pour rendre compte de tout ce qu'ils avaient mis à la portée des hommes : l'air, la terre, l'eau, le feu. L'homme n'a pas contesté leur existence, mais l'idée qu'il se faisait d'eux s'est raffinée. On s'est fait d'eux une idée moins rustique. Xénophane de Colophon l'a bien remarqué : « Les Éthiopiens voient les dieux noirs, avec un nez épaté ; les Thraces les voient avec les yeux pers et des cheveux flamboyants. » Et il renchérit : si les bœufs, les chevaux, les lions avaient des dieux, on voit bien de quoi ils auraient l'air. Cela dit, Xénophane n'en croyait pas moins à une divinité à l'origine du monde. Selon lui, en effet, « ce n'est pas dès le commencement que les dieux ont tout dévoilé aux mortels, mais en cherchant, et, avec le temps, ceux-ci ont découvert le meilleur ». La physique allait conduire à la philosophie.

Vous-même, à quel âge et dans quelles circonstances vous êtes-vous intéressé pour la première fois à ces mythes et à ces légendes que vous étudierez plus tard ?

Je me souviens très bien de cette première rencontre. J'avais sept ans et mon père venait de me dire : « J'ai reçu un télégramme. Ton grand-père est mort, alors il faut que je m'en aille. » Il devait partir quelques jours, ou quelques semaines, pour se rendre à l'enterrement. Pour ne pas me laisser tout à fait seul, sans lecture ni sans rien à apprendre, ce qui était inconcevable pour cet ingénieur, et peut-être aussi pour me consoler, il m'a offert deux livres pour enfants. Pensez-donc : une bible et une mythologie ! J'ai été passionné. Je passais de la Bible à la mythologie, de Moïse aux nymphes, d'Homère à Jésus. J'étais avec Marie et puis soudain avec Hercule et Minerve. Peut-être est-ce grâce à ces allées et venues d'un livre à l'autre que j'ai compris, plus tard, que si Dieu voulait nous parler, à nous qui ne parlons pas le bon Dieu sans accent, qui ne possédons pas la langue divine ni ne la maîtrisons – la méthode Assimil n'enseigne pas encore le divin –, Il ne pouvait, Lui au-delà de Tout, que procéder par des *muthoi*, par des images. Je dois bien admettre que je n'ai pas la cervelle assez grande pour *concevoir* l'infini. Tout ce que je peux faire, c'est *foutre* ça dans un concept, mais ce que j'ai dans mon concept, ce n'est pas pour autant l'infini, ce n'est que l'idée que je me fais de l'infini. Et c'est terriblement fini, notre idée de l'infini. La seule manière pour Dieu de parler aux hommes, c'est de leur parler avec des mythes. Alors, il y a les mythes de la création, les mythes du péché originel. Le mythe du serpent. Très tôt, je me suis posé des questions à leur sujet, qu'il s'agisse de l'Olympe ou de l'Éden. Le serpent ? Pourquoi était-ce un serpent plutôt qu'un cochon ? Le fouineur qui, plus tard, voudra regarder les choses de plus près, découvrira tout simplement – il ne le découvrira pas *ex nihilo* mais dans les bouquins de ses prédécesseurs qui s'étaient déjà interrogés et qui étaient bien plus savants que lui –, il découvrira que le serpent, à l'époque où ce mythe a été composé, était adoré par des idolâtres un peu partout sur la *terra cognita*. Pour préserver les juifs des polythéistes et les dissuader de verser dans ces divagations, il fallait leur montrer combien le serpent était néfaste. On pouvait dès lors leur dire : « N'allez pas adorer les serpents ! Regardez ce qui est arrivé à nos premiers ancêtres ! Vous avez vu ce que ça a donné ! Vous voulez en faire autant ? »

Est-ce à dire que le mythe est un mensonge proposé à des simples d'esprit, à quoi s'oppose la vérité de la raison ? « Mythe et raison forment-ils un duo, ou un duel », comme vous dites ?

L'opinion qui oppose mythe et raison comme le faux et le vrai est si répandue qu'on serait tenté de s'y rallier : « Soixante-deux mille quatre cents répétitions font une vérité », dit Huxley dans *Le Meilleur des mondes*. Des siècles durant, naturel et surnaturel, mythique et rationnel vont coexister de façon pacifique, s'éclairant l'un l'autre. On considérait qu'ils étaient compatibles et qu'il n'y avait aucune pertinence à opposer les règles de la géométrie et les légendes de la mythologie. Il fallait des mathématiques pour construire un temple, et des prières pour son inauguration. Les hommes vivaient très bien selon les deux dimensions, la mythico-religieuse et la philosophique. Aucune des deux ne prétendait évincer l'autre, indépendamment des préférences de tout un chacun. Cela a duré jusqu'à l'hégémonie des religions monothéistes, chacune tenant sa croyance pour la seule authentique et déterminée à subordonner le rationnel au mythique, voire à l'évincer carrément, avec ou sans l'appui des autorités civiles... D'où les aberrations de l'Inquisition, de l'affaire Galilée, du créationnisme hostile à Lamarck et Darwin, etc. C'est d'ailleurs en réaction contre cette dictature de la foi que s'est levée une résistance plus ou moins ouverte mais décidée, qui commence à la Renaissance avec Rabelais et Montaigne. Elle se précise au XVIIe siècle avec « le grand rationalisme », comme dit Merleau-Ponty : Descartes, les cartésiens, Pascal. Elle se radicalise au XVIIIe siècle avec les Encyclopédistes, Voltaire, Diderot, et retombe dans l'excès inverse à la Révolution, avec la déesse Raison... Chassez le mythe, il revient au galop. Au cours du XIXe siècle, l'idéologie rationaliste se dégrade en sectarisme, tandis que prolifèrent les intégrismes religieux... Il serait peut-être bon de chercher un moyen de concilier, comme il y a quelques siècles, l'une et l'autre aspirations. Pourquoi l'appétit de savoir et le goût d'espérer devraient-ils être incompatibles ? Pascal, qui était un chrétien fervent, travaillait bien sur les coniques...

VI

D'Athènes, de Rome et de saint Augustin

Pour tous, vous êtes un grand connaisseur de l'Antiquité, et en particulier du monde romain. Vous avez eu une formule qui résume bien votre manière, alors que vous rendiez compte d'un voyage dans une ville qui est votre seconde – première ? – patrie : « Je devais rencontrer un prince de l'Église, un diplomate italien et les chats du Forum », comme si ces trois dimensions réunissaient et résumaient pour vous la Ville éternelle.

Trois bonheurs disparates, que seul rapprochait, ces jours-là, le ciel de la ville. Ce ciel de Rome où avaient bien dû se perdre, avant le mien, les regards d'Agrippine, de Néron, des apôtres Pierre et Paul, de Marc Aurèle, du jeune Augustin converti. Les chats, apportés d'Égypte à Rome, assure-t-on, par le Grand Pompée, venaient à moi, cauteleux et précis, naissant des buissons et des ruines. Et glissaient les fantômes de ces gloires endormies, qui ne revivaient là que pour moi, l'espace d'une heure. L'espace d'une vie puisqu'ils me hantent depuis les temps presque aussi lointains de mon lycée bordelais. Une église charmante s'inscrivait, incongrue, dans le quadrilatère impeccable du temple d'Antonin et Faustine, me rappelant, comme chaque fois, qu'une civilisation chasse l'autre, depuis toujours. Qui va chasser la nôtre ? « Les civilisations sont mortelles », on le répète depuis Paul Valéry. Mais un Gallo-Romain du Ve siècle l'a dit avant lui, Namatianus. Il était bien placé pour le savoir, puisque les Barbares étaient déjà un peu partout dans l'Empire, tandis qu'il quittait Rome, le cœur serré, pour n'y plus revenir. On craint toujours de ne plus revoir Rome. Du Grand Pompée à Berlusconi – c'était déjà lui en ces jours-là –, je me disais que demeuraient au moins les chats. Quel regard se portera, dans quelques millénaires, sur nos vestiges ? Je veux croire qu'il y aura encore des chats.

Alors que c'est des Grecs que procède essentiellement la philosophie, comme il ressort de vos ouvrages sur l'Antiquité, l'importance que vous donnez au monde romain pourrait surprendre, notamment en ce qui concerne la philosophie. Quelle raison avancez-vous à cela ?

Question de point de vue, dirais-je. Dans mes livres, j'essaie toujours de montrer comment les choses se sont passées concrètement. Il est en effet bien évident que c'est des Grecs qu'est née la philosophie. Régnaient sur la pensée des hommes de ces temps ces mythes qui donnaient à tout phénomène un sens, voire une explication, que l'on se repassait de génération en génération. Et voilà que dans l'Hellade du VIIe siècle avant notre ère, sur ce monde se leva un autre regard. En observant les phénomènes naturels, voilà qu'on découvrait le jeu des causes et des effets, qui lui-même en appelait à un principe, vu de diverses façons par les uns et les autres. Du coup, s'il en allait ainsi, point n'était besoin de remonter jusqu'aux dieux pour comprendre ce qu'ils avaient mis à la portée des hommes. C'est ce que dit explicitement Xénophane de Colophon, un philosophe du Ve siècle av. J.-C. : « Ce n'est pas dès le commencement que les dieux ont tout dévoilé aux mortels, mais ceux-ci, en cherchant, et avec le temps, ont découvert le meilleur. » La *philosophia*, comme l'appellera un peu plus tard Pythagore, était née. Je veux rappeler, avant d'aller plus loin dans ma réponse à votre question, que cet « amour de la sagesse » n'était pas comme aujourd'hui une simple « affaire d'intellos » ou de sujets de bac. Si Cicéron la définit comme « la science des choses divines et humaines », c'est qu'elle pose des questions tout à fait concrètes : Que sommes-nous ? Quel genre d'homme la divinité entend-elle que nous soyons ? Quelle place est la nôtre dans la société des hommes ? Quel rôle devons-nous y jouer ?... Sur tout cela, chaque école avait son idée. Platoniciens, aristotéliciens, stoïciens, épicuriens, sceptiques, etc., tous proposent cette ligne de conduite dont on aurait précisément besoin pour... finalement, pour « être heureux », dans la mesure où on le peut. Encore faut-il, et là est toute la question, savoir comment y parvenir. Il est donc important de regarder de près l'idée qu'on se fait du bonheur ici ou là, dans quelle société, etc., et quelle influence a pu y avoir la philosophie, cet « amour de la sagesse » dont les Grecs ont eu la vision. Dans cette perspective, la *philosophia* n'était pas considérée comme un cours, mais comme la réponse possible à une attente. Une attente suscitée, on l'a dit, par l'étonnement. Par une inquiétude, au sens étymologique, une absence de tranquillité d'esprit chez qui, s'étonnant qu'existe un monde, voulait en savoir un peu plus pour s'y mieux insérer.

Mais quand apparut chez les Grecs quelque chose comme la réponse à ce souci – qui, une fois éprouvé, ne se laisse plus oublier –, l'Hellade était une civilisation poliade : des cités-États, avec chacune son régime politique, ses lois et son goût plus ou moins ardent de l'hégémonie. Un monde qui de ce fait était toujours entre deux conflits. Qu'on se rappelle seulement la guerre du Péloponnèse, entre Sparte et Athènes qui la perdit. Cela jusqu'au jour où Alexandre unifia tout ce monde en le conquérant. Puis vinrent les temps de Rome. Cet imbroglio de cités dispersées et antagonistes était devenu un empire, qui un jour atteindrait les trois millions et plus de kilomètres carrés. « De ce qui était l'univers tu as fait une cité », chantera quelque mille ans plus tard Rutilius Namatianus le Gaulois quittant pour toujours sa Rome bien-aimée.

Mais si Rome avait conquis les terres des Grecs, les Grecs s'étaient bel et bien emparés de l'esprit des Romains. Horace l'a dit mieux que personne dans l'une de ses *Épitres* : « *Graecia capta ferum victorem cepit*, La Grèce conquise a conquis son rustique vainqueur. » De fait, dès le temps des Scipions, les Romains avaient compris qu'à s'inspirer des arts, des lettres, de la philosophie des Grecs, non seulement on n'aliénait rien de son identité, mais on en renforçait l'originalité. L'influence des Grecs pénétra d'abord la société cultivée, puis de plus en plus largement les milieux d'affaires, l'administration. On a découvert des guides élémentaires de conversation latin-grec, avec même la prononciation figurée... Tant et si bien qu'hellénisée, c'est Rome qui va helléniser le vaste monde, comme l'a si bien montré Paul Veyne dans *L'Empire gréco-romain*.

Ainsi, de Cologne à Mérida, de Nîmes à Palmyre et à Bordeaux, on verra des monuments à colonnes doriques, ioniques et corinthiennes, des théâtres et des amphithéâtres ; on jouera des pièces dans le style des tragiques et des comiques athéniens. Et même si l'on ne sait pas toujours très bien la langue, on s'exprimera en grec à l'occasion, parce que « ça fait bien ». Bref, une vraie « graecomania », qui en agacera plus d'un. Quant à la philosophie, le génie romain de l'adaptation verra tout le profit à en tirer pour la conduite au quotidien, pour la politique aussi, comme je l'ai montré dans *Les Divins Césars* à propos de ces traités *Peri basileias*, « De la royauté », d'Ecphante, Diotogène et Sthénidas. Ils théoriseront sur des siècles le caractère sacré de l'empereur. Enfin, c'est grâce aux traductions latines que les livres des penseurs grecs se diffuseront dans l'empire d'Occident, copiés et recopiés, commentés et critiqués, et cela bien après la funeste date de 476, où il passera définitivement aux mains des Barbares. On voit ainsi tout l'intérêt, pour qui entend approfondir ses connaissances en philosophie grecque, de s'informer au plus près de la place qu'elle a tenue des siècles durant dans le monde romain, dans sa culture et dans sa politique. On la voit en acte, sur le terrain.

Cela même ne serait-il pas pour beaucoup dans l'intérêt que vous portez, et depuis si longtemps, à l'œuvre de saint Augustin, que l'on considère souvent comme le maître de l'Occident ? Il y a tenu, en effet, un rôle important dans l'élaboration de la pensée philosophique et religieuse.

De fait, son itinéraire – « le fabuleux destin d'Aurelius Augustinus »... – est déjà révélateur, précisément de ce point de vue. Sa « conversion », qu'on a trop souvent vue comme celle d'un Père de Foucauld ou d'un Claudel, c'est en premier une classique « *conversio ad philosophiam* » dont il parle lui-même, un thème rebattu dans l'Antiquité. Et c'est à Cicéron qu'il la doit. À Cicéron, qui connaît toutes les philosophies grecques sans qu'on sache au juste quelle est la sienne. Sans doute celle qui l'arrange sur le moment... À dix-huit ans, Augustin lit donc l'*Hortensius* aujourd'hui perdu de Cicéron, ce qui va bel et bien décider de sa vie. Plus tard, dans sa longue errance chez les manichéens, ce seront les Grecs de la Nouvelle Académie, ces militants du doute, qui le préserveront de se fixer en quelque système dont il ne serait peut-être pas sorti. Dans les *Catégories* d'Aristote, chez les physiciens grecs aussi, il constate le vide de la pensée manichéenne. Mais c'est plus tard, à l'âge de trente-deux ans, que lui tombent entre les mains ces fameux *libri platonicorum*, ces livres des platoniciens dont on ne saura jamais grand-chose, sinon qu'ils contenaient du Plotin et du Porphyre traduits en latin par Marius Victorinus. Et là, il découvre une tout autre façon de voir « les choses divines et humaines » dont parlait Cicéron. Et d'abord l'idée d'une divinité non plus matérielle ou corporelle, comme on l'imaginait souvent à l'époque, mais bien spirituelle et transcendante. On voit donc que c'est grâce à tous ces textes grecs, émanant d'auteurs païens, qu'est advenu à Augustin ce bouleversement intellectuel dont selon lui Dieu lui a fait la grâce. La classique *conversio ad philosophiam* était l'élément intellectuel de la *conversio* tout court, celle à laquelle on pense quand on parle de lui. Car peu après, à trente-deux ans toujours, il retrouvait le christianisme de sa prime enfance. Et cela comptera pour beaucoup dans la diffusion de la pensée grecque en Occident.

Pourtant, n'est-ce pas Augustin lui-même qui dans Les Confessions *fait état de son aversion pour le grec ?*

Certes, mais l'évêque d'Hippone qui, pas loin de la cinquantaine, évoque dans la « lettre ouverte à Dieu » que sont *Les Confessions* son enfance et sa jeunesse, dont il se reproche tant d'épisodes, a fatalement tendance « à en remettre ». Oui, il insiste sur ses carences pour mieux glorifier ce Dieu dont il se repent d'avoir si tard découvert l'amour. Or il se trouve que l'élève Augustin n'aimait pas mieux le grec que n'aime le latin un élève d'aujourd'hui, ou simplement une langue vivante où il peine en version et en thème. Saint Jérôme reconnaît n'avoir appris l'hébreu « qu'au prix de sueur et de labeur »... Je dirais qu'en fait, si Augustin « ne sait pas le grec » – c'est lui qui l'écrit –, il l'a quand même appris et, à n'en pas douter, « il sait du grec ». On le voit dans ses œuvres, où il lui arrive de chercher avec soin quel terme latin précis conviendrait le mieux pour traduire un concept grec plutôt obscur. Quant aux philosophes grecs, il n'en cite pas moins de trente-quatre – je les ai comptés –, et pas des plus connus, contre… quatre ou cinq latins. Et il garde en tête la spécificité des systèmes, alors qu'elle tend déjà à se dissiper dans l'air de son temps. Enfin, on remarque chez Augustin ce sens de la transcendance éminemment platonicien qui parfois le conduit jusqu'à cet apophatisme, ce silence spirituel « néoplatonicien », qui sera celui d'un Damascios. « Dieu mieux connu en ne l'étant pas », dit Augustin dans le *De ordine*. Un mot qui sourira à Montaigne douze siècles plus tard.

Mais n'allons pas oublier ce que nous devons à Possidius de Calama, qui fut, on peut le dire, la chance de l'Occident. En effet, quand en 430 s'éteignit l'évêque Augustin dans sa ville d'Hippone assiégée par les Vandales, c'est lui qui réussit à rassembler et à trier tout ce que contenait l'énorme bibliothèque laissée par son maître spirituel. Et qui réussit, Dieu sait comment, à lui faire passer la mer, si bien que ce trésor inestimable parviendra comme par miracle jusqu'au Latran. En des temps où peu après – une quarantaine d'années – l'empire d'Occident tomberait aux mains d'Odoacre, puis sombrerait pour trois siècles dans un coma spéculatif dont témoigne la liste chronologique des philosophes, il y aurait là, grâce au travail obstiné des moines, de quoi se refaire une santé pour les rares intellectuels qui survivraient au désastre. *Graecum est, non legitur*… Le latin ne tardera pas à suivre. Et ce sera en grande partie grâce à Augustin que subsistera en Occident quelque chose de la pensée des Grecs.

VII

De Blaise Pascal

Vous avez, il y a de cela des années, écrit sur Pascal. Cette figure de la pensée chrétienne vous est-elle toujours présente ? L'auteur des Pensées, *des* Provinciales, *accompagne-t-il toujours l'historien de la philosophie engagé depuis si longtemps dans l'Antiquité préchrétienne ?*

Et post-chrétienne. Oui, je lui ai consacré jadis une thèse de psychologie, publiée aux Presses universitaires de France en 1962. Mais oublie-t-on jamais Pascal ? Au reste, cette Antiquité-là, Pascal l'évoquait souvent, et pour une bonne part, c'est par saint Augustin qu'elle lui était familière. Pascal était augustinien ; il l'était, si je puis dire, de l'intérieur, par nature. D'autre part, il avait rejoint la spiritualité janséniste, que Saint-Cyran disait avoir trouvée chez saint Augustin, dont on avait systématisé et singulièrement durci ce qu'il avait dit de la liberté et de la grâce.

D'André Suarès à François Mauriac, la figure de Pascal n'a cessé de hanter les esprits. Qu'est-ce qui vous a attiré chez celui dont André Suarès a écrit justement : « Il ruine l'empire des hommes au-dehors et au-dedans. Il vient, il voit et il détruit. L'enfer est ici, et il n'a point d'égard à ses plus fermes établissements. Où il n'y a point de certitude, pour Pascal, il n'y a rien. Et où il n'est que de la pensée, il ne peut y avoir de la certitude. Le ciel que Pascal veut dire, c'est Dieu même. »

Ce qui m'avait attiré chez Pascal, ce n'était évidemment pas son implication dans cette guerre religieuse de cent ans où s'affrontaient jansénistes, jésuites, Sorbonne, roi de France et pape à propos de problèmes qui à mon sens ne pouvaient avoir de solution parce que mal posés. On en était arrivé à la prédestination, au nombre des élus, voire au *numerus clausus* céleste, comme l'a si bien dit Serge Lancel. Toutes questions qui, vous vous en doutez, n'avaient pour moi d'intérêt qu'historique. Ce qui m'importait, chez Pascal, c'était l'homme. L'homme Pascal dans son temps. Je l'ai dit : un philosophe – et Pascal en était un – n'est pas une parole abstraite dont on percevrait l'écho dans l'espace-temps des bibliothèques. C'est un être humain singulier, plus ou moins « bien dans sa peau » et plus ou moins impliqué dans ce qui se vit, se pense, se dit à son époque. C'est pourquoi j'avais voulu regarder d'aussi près que je le pourrais son physique, son psychique, sa vie spirituelle aussi, telle qu'elle se laisse entrevoir, notamment dans ce projet inachevé d'apologie du christianisme que nous connaissons sous le nom de *Pensées*. J'ai donc suivi année après année la vie d'un grand malade, probablement cancéreux, travaillant à plein temps. D'un savant tirant le maximum de sa santé déplorable, de qui Racine a pu dire : « M. Pascal est mort de vieillesse à l'âge de trente-neuf ans. » Psychiquement, un angoissé, prédisposé aux affections psychosomatiques, porté à l'excès dans sa recherche de la perfection, et dont l'esprit demeura lucide jusqu'à ses derniers moments. Et c'est dans la vie spirituelle, s'inscrivant au plus près dans le christianisme, qu'il a trouvé le principe d'un équilibre supérieur. Disons que sa vie a été vécue comme un conflit perpétuel, mais un conflit toujours résolu. De ce point de vue, c'est sa liberté qui, je puis le dire, m'enchantait. La liberté du savant au sein d'une Église dont le moins qu'on puisse dire est que ses cadres n'y sont guère enclins. Oui, cette liberté, je l'avoue, m'amusait, et je n'étais pas le seul. Il faut lire ce qu'il dit dans la XVIIIe *Provinciale* à propos de la consternante affaire Galilée. Au jésuite Annat, confesseur du roi, il écrit : « Ce fut en vain que vous obtîntes contre Galilée ce décret de Rome qui condamnait son opinion touchant le mouvement de la terre. Ce ne sera pas cela qui prouvera qu'elle demeure en repos ; et si l'on avait des observations constantes qui prouvassent que c'est elle qui tourne, tous les hommes ensemble ne l'empêcheraient pas de tourner et ne s'empêcheraient pas de tourner avec elle. Ne vous imaginez pas de même que les lettres du pape Zacharie pour l'excommunication de saint Virgile, sur ce qu'il tenait qu'il y avait des antipodes, aient anéanti ce nouveau monde, et qu'encore qu'il eût déclaré que cette opinion était une erreur bien dangereuse, le roi d'Espagne ne se soit pas bien trouvé d'en avoir plutôt cru Christophe Colomb qui en venait, que le jugement de ce pape qui n'y avait pas été... Vous voyez donc, mon Père, quelle est la nature des choses de fait, et par quels principes on en doit juger. » Aussi Pascal n'avait-il pas grande estime pour la scolastique, dont Aldous Huxley dira dans *Adonis et l'alphabet* qu'elle consiste « à se mettre en tête les paroles des morts et à jouer avec elles à des jeux de logicien ». Une définition qui lui aurait bien plu. Il partageait l'opinion de Descartes sur les écoles. Loin de s'y développer, le bon sens s'y déprave. L'intelligence n'a point de part à ce qu'on y apprend ; on n'y peut guère que retenir. Quant aux distinctions byzantines qui y prolifèrent, elles sont bien commodes pour masquer l'indigence de la pensée et les vices du raisonnement. Et si, dans les *Pensées*, Pascal dit que dans la religion, « Il s'agit de nous-mêmes, et de notre tout », ce n'est pas pour autant, on le voit, qu'il confond les plans. En effet – et là, revenons à la XVIIIe *Provinciale* –, « Ces trois principes de nos connaissances, les sens, la raison et la foi, ont chacun leurs objets séparés, et leur certitude dans cette étendue ».

Vous pourriez citer Blaise Pascal : « Il faut douter où il faut, assurer où il faut en se soumettant où il faut. »

C'est ce Pascal-là, pris sur le vif, que Jean Orcibal m'a aidé à approcher de plus près. Et c'est cette symbiose de la foi mystique et de la science dans l'âme d'un homme d'étude qui m'est restée présente au long de mes jours. C'était elle que j'avais en tête, je m'en souviens, un soir de 1962, tandis que se déroulait cette séance solennelle en Sorbonne à laquelle nous avions été conviés, ma femme et moi. Je revois toujours Malraux, alors ministre, qui présidait, silencieux, impénétrable, fixé sur un monde intérieur. Et j'entends la voix brisée de Mauriac en grand costume du quai Conti évoquant le *Mémorial* de Pascal, ces quelques lignes écrites pour lui seul en souvenir de la lumière d'une certaine nuit, un 23 novembre 1654 : « Feu... Joie, joie, pleurs de joie, paix, certitude... » Et Mauriac se rappelait son enfance bordelaise : « Nous tenons dans notre poing serré ce papier invisible, ce *Mémorial* que nous n'avons jamais vu, et qui pourtant ne nous aura pas quitté un seul jour durant ces soixante années. Nous croyons aujourd'hui comme nous l'avons cru au départ que tout ce qu'il annonce est vrai, que cette certitude existe, que cette paix peut dès ici-bas être atteinte, et cette joie. Le feu d'une seule nuit de Pascal aura suffi à nous éclairer durant toute notre vie et comme l'enfant que la veilleuse rassurait dans la chambre peuplée d'ombres, à cause de ce feu nous n'aurons pas peur de nous endormir. »

VIII

De l'enseignement

De 1962 à 1966, vous avez été chargé de cours à la Sorbonne, puis vous avez été professeur à l'université de Besançon ; enfin, vous avez été professeur, à partir de 1970, à l'université de Caen, où Luc Ferry vous a succédé. S'il vous fallait définir le « bon prof » et le bon élève, que diriez-vous ?

Que le bon professeur, c'est celui qui donne envie d'être un bon élève... La suite dépendant de l'élève, bien sûr, et de ses conditions de vie. Cela pour dire que dans cette affaire, il faut être deux. La manière d'être du vrai prof, simple mais sans négligence ni démagogie, accessible mais sans familiarité, savant mais sans pédantisme, commence souvent, sinon toujours, par intriguer les élèves. Et d'autant plus que ce qu'il dit, il sait le dire de telle façon qu'ils se prennent à attendre la suite et tentent de garder cela en tête. Autant de choses qui éveillent chez ces garçons et ces filles, assis là faute de pouvoir être ailleurs, une certaine curiosité, puis une curiosité certaine : à cela ils ne s'attendaient pas. Ce qui jusque-là n'était pour eux qu' « une matière » parmi les autres – drôle de terme pour désigner un savoir destiné à enrichir les esprits ! – devient soudain, grâce à Untel, un centre d'intérêt, quelquefois même une passion. On sort de la salle ou de l'amphi moins vide, ou plutôt rempli d'autre chose, et ce qui est rare, on se met à penser à la prochaine fois. Bien sûr, demeurent l'obligation et le travail, mais voilà bien qu'on se prend à s'y investir. D'ailleurs, on va revoir ses notes, on cherchera dans un bouquin de quoi consolider l'acquis, peut-être même l'approfondir, en tout cas l'intérioriser. On se découvre capable de devenir... un bon élève ! On l'aura compris, avec le « bon prof », on n'apprend pas « à la chaîne ». On est soi, et l'on s'avise qu'on le serait même mieux qu'avant. Ce qui dans ces générations sans indulgence suscite des comparaisons : « Avec Untel, ce n'est pas comme avec Tartemol ! » Comme si pour eux, ce prof-là avait cessé d'être vu comme un représentant parmi d'autres de cette dictature multiforme, familiale, sociale, scolaire, etc., à laquelle on ne peut échapper. Le prof, celui-là, est devenu ce qu'en d'autres temps on appelait un maître, c'est-à-dire quelqu'un dont on a l'intuition qu'il vous aidera à devenir non pas seulement quelque chose : un élève, un étudiant parmi d'autres, pourvu d'un diplôme avec ou sans mention, mais quelqu'un. Quelqu'un d'unique : soi. Et à l'être mieux grâce à ce savoir partagé et à ce qu'il a fait naître de curiosité.

Avez-vous en tête un exemple de ce rapport entre deux subjectivités, le « bon prof » et le « bon élève » ?

Je vous dirais Socrate, que nul n'a rencontré sans sortir de là plus soi-même qu'avant, même si c'était autrement. Ou encore Anthisthène pour Diogène, ou Ammonios Sakkas pour Plotin, dont il changea la vie. « Le bon prof », c'est un maître qui par sa science et sa sagesse donne à son disciple de quoi être plus pleinement lui-même, ce dont il n'avait pas jusque-là l'idée, sinon vague, voire mythique. En regardant ce que doit être un « bon prof », on aura compris qu'un « bon élève », c'est d'abord celui qui ne se prend pas d'emblée pour tel, et connaît ses limites. Eh oui : *gnôthi seauton*, encore et toujours ce « Connais-toi toi-même ». Et aie envie d'être toi, sans plus – car on n'est jamais que soi –, mais vraiment, et non une vague copie des autres. Et qui sait ? Le bon élève peut devenir un « bon prof ». Mais heureusement, nul ne l'y oblige. L'essentiel, c'est qu'il soit devenu lui-même, qu'il s'en réjouisse et qu'il ne s'en vante pas.

IX

D'un disciple et de quelques confrères

Michel Onfray a écrit de fortes pages à votre sujet, entre autres, dans le texte introductif de son livre Cynismes *: « De ce vieux maître, j'aurai donc appris la liberté de l'esprit et l'indépendance, le goût pour une philosophie pratique et concrète, la défiance à l'égard des pouvoirs, la méfiance quant aux institutions qui s'emparent de la pensée pour mieux l'aseptiser, l'asservir. Enfin, je lui dois aussi une irrépressible aversion pour toutes les scolastiques contemporaines. » Il ajoute : « Depuis maintenant plus de dix ans, nous échangeons, lui et moi, une correspondance dans laquelle nous croisons nos vues – qui sont rarement les mêmes sur les détails, toujours les mêmes sur le fond. » Il conclut : « Parfois, j'ose lui parler d'amitié, mais je sais combien il faut se défier des mots. » À l'inverse, on a envie de vous interroger sur ce disciple devenu si fameux…*

J'ai sur les lecteurs de Michel Onfray une longueur d'avance, en ce sens qu'il y a longtemps je corrigeais ses copies de licence, lesquelles avaient, ma foi, du corps et du bouquet. Nostalgie de ce temps-là, de ces heures de cours dont il a une fois ou l'autre rendu l'ambiance. « Mes » garçons, « mes » filles, façon de dire que je leur appartenais. Ensemble nous embarquions pour le passé lointain de la pensée, comme d'autres à la recherche de l'Atlantide. Dans l'exploration de ces sites perdus, Onfray était attentif et amusé, grave et guilleret, heureux de penser par lui-même. Il faut dire qu'en cette dernière période de l'ère idéologique, l'air du temps était lourd. Puis ce serait l'ère du vide obligatoire, de la pensée unique, comme dit Jean-François Kahn. La philosophie, ou plutôt son histoire, pouvait fournir une ration de survie. Pour Onfray, j'étais rassuré : je ne pouvais, certes, deviner qu'il deviendrait quelque chose, mais j'avais vu qu'il serait quelqu'un. Les années ont suivi, jalonnées de ses livres, que je lisais : après tout, c'était bien mon tour d'être attentif et amusé, grave et guilleret, et d'apprendre d'autres choses... *Le Ventre des philosophes* d'emblée l'imposa ; *Cynismes* et *L'Art de jouir* – titre qui me fit tousser – le confirmèrent. *La Sculpture de soi* le consacra comme l'un des meilleurs essayistes de ce temps. Depuis, les années ont passé.

Je crois savoir que vous placez haut La Raison gourmande.

Avec ce livre, nous descendons dans la crypte d'un panthéon de la gastronomie transcendantale. Là se trouvent, au fil des chapitres, les tombeaux de Grimod de La Reynière, de Brillat-Savarin, de Carême, de dom Pérignon et autres seigneurs de même lignage : aux grands dégustateurs, la raison reconnaissante. Tous ont su conférer à l'art des saveurs et des fumets la noblesse qu'étroitement on réservait à celui des couleurs ou des sons. C'était justice, démontre Onfray, qu'à la question nietzschéenne de savoir s'il y avait une philosophie de la nutrition l'on donnât enfin une réponse positive. Qu'on reconnût une égale dignité à ce qui se hume et se goûte, et tout autant se pense.

Vrai festival, donc, de goûts et de fragrances, geste de la chevalerie gourmande, qui rend sapides jusqu'aux mots. Mais – allons, imitons Prévert ! – qu'on ne se laisse pas piper par l'épopée des papilles. Car dans cette réhabilitation de l'odorat et du goût, relégués jusqu'alors à l'office, c'est une dimension de plus qu'acquiert l'image de l'homme, et comme une plénitude qui lui faisait défaut. Voilà donc l'homme réconcilié, dit Onfray, avec l'ensemble de ses sens et la totalité de sa chair. Mais voilà aussi la preuve de cette montée millénaire vers l'esprit qui captivait Teilhard de Chardin. Car enfin, le pithécanthrope cuisinait-il ? Quelles sauces mitonnait la femme de Neandertal ?

Là, pour dire vrai, c'est moi qui en rajoute, emporté par l'élan d'un Onfray célébrant l'homme triomphant, se plaisant à se voir des promesses de plaisir, tirant de soi seul ces éclairs d'euphorie. Si j'ai bien compris, Adam et Ève ont chassé Dieu du Paradis. Ils y ont fait souche et dégustent en famille le fruit défendu. Pourtant, le matérialisme que crie ce livre, comme du reste l'ensemble de l'œuvre, résonnerait plutôt comme une imprécation farouche, maudissant ce qui assombrit la vie : les mesquines ascèses, les spiritualismes douteux, les louches bondieuseries où Onfray a cru voir « les idéaux mortifères du christianisme ». Duquel ? Celui de Jésus ? de Calvin ? de Jansénius ? de Torquemada ? Nietzsche est passé par là.

Vous avez écrit : « Du Paradis gagné d'Onfray, il en va comme du Paradis perdu : on y pâtit autant et plus qu'on y jouit, comme si le Dieu chassé avait emporté avec lui le bonheur, laissant aux hommes le seul plaisir comme revanche sur la douleur. »

Oui. À preuve ce fait que *L'Art de jouir* s'ouvre et se referme sur deux visions d'enfer. Pages puissantes s'il en est : supplices d'hôpital – Onfray les a tôt connus –, vraies descentes de croix, sculptures de Jugement dernier, puis c'est la morgue, enfer de glace de Dante, où j'imaginais étendu, dépecé, un comte Ugolin qui aurait fini de souffrir. Et ici même, dans la vision qu'Onfray donnait d'une aciérie en action, je croyais reconnaître, grandioses et accablantes, les *Carceri* de Piranèse. Tout Onfray est dans ce contraste-là, plus violent que chez quiconque. L'homme écartelé sous la lumière crue d'un implacable talent.

Dans le festin de Trimalcion, aux temps néroniens, l'intermède du squelette dansant, ce trou normand métaphysique, rappelait aux dîneurs que tout ce qui doit finir est court, et de même la ronde des philosophes et des squelettes sur l'argent ciselé du gobelet de Boscoreale. S'il en va bien ainsi, alors, dit l'apôtre, *« mangeons et buvons, car demain nous mourrons »*. Ce serait autant de pris. On peut, bien sûr, n'entendre dans l'œuvre d'Onfray que l'écho lancinant de la vieille rengaine qui depuis tant de siècles rythme le rigodon des morts. À chacun d'en juger.

Quel sentiment éprouvez-vous devant le parcours de votre disciple, pour employer un terme que vous n'aimez guère ?

Je me rappelle encore le regard de ce jeune homme, où j'avais surpris comme de la connivence tandis que j'expliquais ligne par ligne le livre I, ou le III, je ne sais plus, du *De rerum natura* de Lucrèce. Lucrèce, un fan d'Épicure, dirait-on de nos jours. Onfray découvrait alors, c'est lui qui l'a écrit, une autre vision du monde, une autre manière de philosopher. Première rencontre, sans doute, avec cet hédonisme qui est depuis lors, me semble-t-il, le fond de sa pensée. C'est Nietzsche – qu'il aime à citer – qui disait dans *Humain trop humain* que « sans plaisir, point de vie ; le combat pour le plaisir est le combat pour la vie ». Mais la conception épicurienne du plaisir – l'absence de douleur et de peur, finalement, bref, le minimum vital du plaisir – a dû lui paraître un peu juste. Aussi est-ce vers Aristippe et quelques autres, vers les cyrénaïques, qu'Onfray s'est tourné. Comme quoi le passage d'Onfray par mon amphi aura été utile à la pensée antique, qu'on ne connaîtra jamais assez et jamais d'assez près. Je ne saurais trop recommander son recueil de fragments, paru sous le titre *L'Invention du plaisir*. Onfray aura contribué à la rendre plus présente dans le monde si peu drôle d'aujourd'hui. Le plus piquant, dans tout cela, c'est bien qu'un hédoniste ait été un moment de sa vie l'élève d'un néoplatonisant. Cela en étonne ou en amuse plus d'un dans le milieu universitaire. En tout cas, voilà qui montre au moins que je n'engendrais pas des clones, façon « brebis Dolly ». Simplement, je souhaitais que chacun trouvât dans ce que je racontais au long de mes heures de cours de quoi devenir un peu plus – peut-être un peu mieux – soi-même. Il me fallait les aider les uns les autres, et le plus discrètement que je le pouvais, à se mieux connaître. Eh oui, *gnôthi seauton* : on en revient toujours à cela. Connais-toi toi-même, et peut-être auras-tu des surprises. Encore une fois, la liberté, cela se partage. Sans doute est-ce aussi le but que visait Onfray en créant son université populaire, dont on dit qu'elle attire pas mal de monde. Allons, tant mieux !

Vous avez également des confrères que vous aimez saluer. Je pense à Umberto Eco, dont vous vantez, à chaque occasion, Le Nom de la rose, *que vous déclarez avoir lu... quatre-vingt-douze fois !*

Magie de la relecture. Je ne cesse de reprendre mon vieux volume du *Nom de la rose*, dont les marges, comme celles des manuscrits du Moyen Âge, se sont couvertes, au fil des ans, de notes et de références. Ce qui vous tient captif, dans l'immortel roman d'Umberto Eco, c'est qu'« on y est ». Juché sur une mule, on voit se préciser, tournant après tournant, le maléfique édifice octogonal qui domine l'abbaye et surplombe l'abîme. La nuit, on avance dans le halo de la lampe que tient Adso, le novice, d'une main mal assurée, et l'on s'égare dans le labyrinthe hanté par le murmure séculaire des savoirs qui s'y lovent. Comme frère Guillaume de Baskerville, on sent dans son dos le regard louche du bibliothécaire. Une bouffée de psaumes arrive de l'abbatiale, au portail tout pareil à celui de Moissac. Et plus souvent qu'il ne siérait, les tercets du *Dies irae* accompagnent jusqu'au seuil de l'éternité les âmes des moines occis en série, qui trop en voulaient savoir sur un livre maudit.

Je m'abandonne au courant séculaire qui me roule – Cervantès, Shakespeare, Calderón, Pascal, Schopenhauer, Pirandello –, où la vie et les songes en viennent à se confondre. Et tout soudain le XXe siècle finissant le cède au XIVe, fascinant à force de tragique. Nous voilà pris dans une inextricable mêlée, vécue d'un dimanche à l'autre de novembre 1327. Le Saint Empire et la papauté d'Avignon sont à couteaux tirés, il faut choisir son camp. Des illuminés, sûrs d'être fidèles à Joachim de Flore et au Poverello d'Assise, parcourent les campagnes, tuant et priant, car c'est l'aube d'un âge nouveau, d'universelle pureté, et cela vaut bien que l'eau des fleuves se teinte de rouge. À Oxford, à Paris, partisans de Bacon, d'Ockham et de Thomas d'Aquin disputent des mots et des choses, et dans l'ombre s'activent les inquisiteurs, « qui ont des façons pas très catholiques », comme dit la chanson. C'est qu'ils décèlent partout « l'odeur pestifère du démon », car les temps sont proches, on attend l'Antéchrist d'un moment à l'autre, et le jour du Jugement. Ce devrait d'ailleurs être chose réglée depuis l'an mille, si l'on ne s'était plus ou moins trompé dans les calculs. De toutes les façons, le monde vieillit, *senescit mundus*, disait Honorius d'Augustodunum, et les hommes, jadis si grands et qui voyaient si loin, sont tout juste, maintenant, des nains perchés sur des épaules de nains.

Temps de peste, de famines et de guerres, d'où Adso devenu vieux, reclus dans son cher monastère danubien de Melk, a voulu sauver, heure après heure, la semaine la plus belle et la plus terrible de sa jeunesse, avant que de quitter pour l'éternité bienheureuse un monde qu'il ne comprend déjà plus : « Où sont les neiges d'antan ? La terre danse la danse de Macabré, il me semble par moments que le Danube est sillonné de bateaux chargés de fous qui vont vers un lieu obscur… »

Un sentiment que vous partagez ?

Plongé, comme souvent le soir, dans ce rêve noir que pourtant traverse l'espérance – celle qui réchauffait ces temps révolus, et dont le feu rougeoie pour toujours –, je suis chaque fois réveillé par le froid de mon siècle. On va dans la Lune, certes. Rois et manants sillonnent aujourd'hui le ciel à bord de ces machines volantes dont rêvait Bacon. Mais les guerres, les famines et les pestes d'un genre nouveau n'y ont plus leur contrepartie d'espérance. On n'y contemple plus que les cendres de faux espoirs calcinés. C'est pourtant vrai : le monde a encore pris un coup de vieux. Je referme le livre, mais je sais bien que demain, à la nuit tombée, je me glisserai comme chaque soir dans l'abbaye, et je m'y dégourdirai à la chaleur du rêve. Un matin, c'est sûr, on m'y découvrira endormi, et je ne sais si je pourrai expliquer ce que je fais là.

Vous cultivez le goût de l'amitié, comme autrefois Montaigne, justement instruit de l'Antiquité. Parmi vos amis, on trouve un cardinal, mais aussi des académiciens, alors que vous vous tenez loin des honneurs. Et, bien sûr, des éminents collègues – Pierre Grimal, Robert Turcan ou Jacqueline de Romilly. Mais parlez-nous de Paul Veyne, qui, parti d'un bord opposé au vôtre, est finalement devenu l'un de vos plus chers amis, et pour lequel vous nourrissez une admiration sans faille.

Tout est parti de ma lecture de son livre au titre iconoclaste, *Les Grecs ont-ils cru à leurs mythes ?* C'était l'évidence : Paul Veyne, spécialiste de l'histoire de Rome, pensait ce que j'osais à peine penser moi-même, partant d'un autre horizon axiologique que le sien. Je lui ai écrit aussitôt pour lui dire l'effet que son livre avait eu sur moi. À quoi il m'a répondu par six pages pleines, d'un hôpital où il venait de se faire opérer. Six pages amènes et chaleureuses : lui, comme moi, s'était aperçu que si nous travaillions avec des grilles conceptuelles différentes ; nous partagions une communauté d'objets d'étude. Non seulement nous jetions notre dévolu scientifique et notre soif de savoir sur des sujets similaires, mais nous proposions des points de vue semblables.

Pendant plus de vingt ans, nous ne nous sommes jamais rencontrés, mais nous nous sommes toujours beaucoup écrit. Nos rencontres ont été de deux. Mais nous nous connaissons mieux que d'autres qui se voient tous les jours.

Ce qui m'a retenu, c'est que Paul Veyne interrogeait le regard des Grecs sur leurs propres créations mythologiques, ouvrant ainsi d'autres horizons à la lecture bien trop souvent uniforme que nous en faisons aujourd'hui. Il replaçait ainsi la problématique dans son contexte, dans sa contemporanéité. Être polythéiste, croire littéralement en plusieurs dieux, qu'est-ce que cela signifie ? Est-ce un acte de foi réel ou seulement une manière de parler, un bouquet d'histoires populaires ? Paul Veyne explique que cela pouvait être tout cela à la fois. On ne croit pas à Jupiter sous les rois étrusques comme on y croit sous Cicéron, ou comme on y croira sous Marc-Aurèle, sous les derniers païens ou encore sous Constantin. À tel moment, on prend les choses à la lettre ; à d'autres, on en prend et on en laisse. On en parle tantôt avec humour, tantôt avec horreur. L'Antiquité est composée d'époques, de strates, de mondes dans lesquels on pense différemment. Les croyances évoluent avec les hommes et avec le contexte qui les produit. Je me suis aperçu que Paul Veyne et moi partagions la même passion : comprendre ce qui se passait à une époque donnée, et voir les pensées d'un temps évoluer avec les époques.

De quoi se nourrissent les lettres que vous avez échangées ?

D'histoire et de philosophie. L'Antiquité est à ce titre une période parfaite. Un jour, j'ai écrit à Paul Veyne pour éclaircir une question qui me taraudait. Quand Commode s'habillait en Hercule, comme on en voit un exemple au palais des Conservateurs à Rome, avec la peau de lion et la massue, les gens le prenaient-ils au sérieux ? Imaginez François Mitterrand habillé en Charlemagne ! Il m'a répondu : « Vous avez mis le doigt sur un problème majeur. Commode fringué en Héraklès était sûr d'être compris (Mitterrand, comme vous le dites, ne le serait pas) : non, Commode n'était pas fou... Mais alors, il faut reprendre entièrement le difficilissime problème de l'apparat impérial comme propagande, et celui du culte des empereurs. Le peuple, lui aussi, de lui-même, parlait ou plutôt comprenait la langue des apothéoses. » De temps en temps, un fait, une idée nous intéressent, et nous nous suggérons une référence. Ainsi, dans une lettre de 1983, Paul Veyne me répond : « J'ai pris bonne note de ce que vous m'écrivez sur le royalisme éperdu des néopythagoriciens, qui va jusqu'à Dion de Pruse et à Synésios. Je me suis permis d'en donner communication à un ami, Michel Foucault, qui travaille en ce moment sur les *basilikoi logoi* de Dion de Pruse. Il y a une filiation capitale et trop peu connue. »

Vous écrivez : « Si je plaque des éléments du XXIe siècle sur le pauvre Sénèque, je le transforme en quelque chose qui n'a rien à voir avec Sénèque. À Rome, les mots avaient un autre sens, et l'air que l'on y respirait avait un autre parfum. » N'est-ce pas cette faculté de rendre « l'air du temps » que vous aimez chez Paul Veyne ?

Oui. C'est l'une de ses leçons. Il ne cesse d'insister sur le fait que, d'une civilisation à l'autre, et à l'intérieur d'une même civilisation, d'une époque à l'autre, un mot n'a pas toujours le même sens. Un exemple : le mot « Dieu ». Au Ier siècle av. J.-C., le concept n'est pas affecté du même coefficient de transcendance à Rome et à Jérusalem. Paul Veyne, à cet égard, a une de ces formules dont il a le secret : « L'histoire est un chaos où rien ne se répète, mais où chaque figure du kaléidoscope nous apparaît comme une généralité à elle seule. » Là-dessus, il donne comme exemple la vache qui doit « s'imaginer que tous les brins d'herbe sont identiques, faute d'avoir lu Leibniz qui explique, au contraire, qu'il n'existe pas deux feuilles d'arbre qui soient identiques »...

De Paul Veyne, comme de tous mes amis, je puis dire que j'aurais été autrement, moins bien, si je ne les avais pas rencontrés eux, tels qu'ils ont été, tels qu'ils sont.

X

De deux figures paradoxales, Julien dit l'Apostat et le cardinal Baudrillart

Une figure a hanté la littérature sur l'Antiquité, celle de Julien l'Apostat. Louis-Ferdinand Céline lui a dédié un livre, les surréalistes (Georges Henein ou Gilbert Lely) ont fait référence à lui ; Marguerite Yourcenar a traduit des poèmes de Constantin Cavafy à son sujet, comme Un grand cortège de prêtres et de laïques, *qui célèbre la fin du « sacrilège », du « néfaste Julien ». Cioran confessait à son tour dans une lettre à Armel Guerne : « À force de pratiquer Celse et Julien l'Apostat, j'ai fini par adopter leurs thèses, et je me suis lancé dans une diatribe contre le christianisme. » Pourquoi cet intérêt chez vous pour celui que vous appelez Julien* dit *l'Apostat ?*

Il y avait à cela plusieurs motifs. Disons « motifs » plutôt que « raisons ». En effet, à y regarder de plus près, comme m'y invite votre question, je reconnais que ce qui m'incitait à écrire cette biographie plutôt que celle de Néron ou de Titus, et à m'y investir de plus en plus à mesure que j'avançais, engageait plusieurs plans. Il y avait, bien sûr, le souci qui m'a toujours hanté de me tenir au plus près des faits et de l' « air du temps ». Or les biographies de Julien ne me satisfaisaient guère : trop évasives sur certains points, la philosophie notamment ; trop inféodées aussi à un christianisme qu'on dirait aujourd'hui intégriste. Du coup, ayant étudié cette vie-là de très près, par goût, je me sentais comme un devoir de justice envers la mémoire flétrie de ce prince. Julien : un homme de bonne volonté au destin tragique d'un bout à l'autre, dont on n'a guère dit que du mal au long des âges, l'affublant avec cela d'un surnom qu'à regarder les choses de plus près, il ne méritait pas. C'était donc une vie que je voulais qu'on découvre, et non qu'on reprenne de vieux ragots tant de fois recopiés.

De votre livre, Paul Veyne a pu écrire avec humour : « Le surprenant héros de ce livre, l'empereur romain Julien, dit l'Apostat, est aussi recommandable que l'auteur même du livre. » Il continue au sujet de Julien : « L'empereur Julien, surnommé l'Aspostat par les chrétiens ses ennemis, fut une des figures les plus inattendues et les plus compliquées de l'histoire universelle, une des plus riches en talents divers. » Contez-nous donc l'histoire de ce César, « pape autoproclamé des païens », qui a renié le christianisme et qui, comme le dit encore Paul Veyne, a

« tenté d'en interrompre la carrière et de restaurer un paganisme réformé par ses soins ».

Une nuit de 317 au palais de Constantinople. Dans leur chambre, deux gamins qui dorment. Gallus, onze ans, très malade ; Julien, son demi-frère, cinq ans. Réveillé en sursaut, Julien, terrifié, s'est caché à temps. Des soldats sont entrés. Il entend une gosse voix : « Non, celui-là tu le laisses : il crèvera bien tout seul ! » Le commando repart, le silence retombe. Julien sort de la chambre. Sur les dalles du palais, une quinzaine de corps. Entre autres, son père, un oncle, un frère, des cousins... Pourquoi ce massacre ? Une sombre histoire entre les trois fils du défunt Constantin et leurs demi-frères et neveux. Les premiers redoutaient que les seconds, naguère évincés de la pourpre, ne la veuillent reprendre. Bref, une opération préventive. À qui profite le crime ? – À Constance II, bien sûr, l'empereur chrétien qui ne s'embarrasse pas de l'esprit des Évangiles. Pour Julien, tout commence donc par un carnage familial. Cela n'arrangeait pas Constance que les deux jeunes s'en soient tirés. Faute de pouvoir les occire en toute discrétion, il expédia Gallus, entre-temps guéri, on ne sait trop où, et Julien chez sa grand-mère à Nicomédie, aujourd'hui Izmir en Turquie. Ce fut sa chance. Mardonios, son précepteur, un eunuque chrétien, était fou d'Homère et d'Hésiode, et c'est dans leurs livres que Julien apprit à lire, à écrire et... à penser. Dans sa tête de gosse, Ulysse, Jésus, Héra, Marie, les apparitions des uns, les métamorphoses des autres, se mêlaient sans problème. Les plus belles années de sa jeunesse : il le dit.

Cinq ans plus tard, les deux frères se retrouvent en résidence surveillée – ô combien ! – dans la forteresse de Macellum, dans les montagnes de Cappadoce. Cousin Constance pensait à tout. Il attachait une trop grande importance à l'éducation chrétienne des deux adolescents. En effet, pour les écarter définitivement du trône, quoi de mieux que d'en faire... des prêtres ? Il en avait chargé Georges d'Ancyre, un ecclésiastique qui avant de se vouer au commerce des âmes s'était enrichi dans celui des porcs, dont il vendait la viande aux armées. Mais il avait la confiance de l'empereur. Point positif : sa superbe bibliothèque, où Julien s'arrangeait pour passer le plus clair de son temps. Gallus, lui, faisait du sport. Pour Julien, ce fut la révélation, et sur bien des plans. La philosophie d'abord : Platon, Aristote, les stoïciens. C'était donc dans la lumière des dieux d'Homère que s'était éveillée leur pensée. De ces dieux dont il entendait encore Mardonios lui parler.

Et puis, il y avait l'histoire de Rome, et voilà qu'à scruter ces textes lui apparaissaient les raisons de cette nuit de 337. Bien sûr : c'était à son père que revenait la pourpre, et un jour à Gallus ou à lui. Oncle Constantin avait bel et bien usurpé le trône, renié les dieux, et ses fils avaient cette nuit-là exterminé tous les siens, les manquant eux-mêmes de peu. Bref, la famille des Atrides qui serait allée à la messe. C'est ainsi que les mois passant à méditer, Julien adolescent se découvrit un beau jour, dans le secret de son âme, revenu aux dieux d'Homère, d'Hésiode, de Platon, de Virgile. Apostasie ? Retour aux sources, plutôt, d'une âme en peine à l'enfance tragique. Passons sur les aventures des deux frères, que Constance II, empêtré dans les guerres sans fin d'un Empire en déclin, se résigna, faute de mieux, à prendre successivement comme adjoints. Successivement car Gallus, qui bien imprudemment avait tenté de « doubler » Constance, fut décapité sans délai. Peu après l'empereur faisait de Julien son César dans les Gaules, alors fort agitées. Cet intellectuel se révéla un si bon général qu'une nuit de février 360, à Lutèce, ses troupes, que Constance voulait rappeler et qui n'y tenaient pas, l'acclamèrent empereur.

Pour Julien, pas de doute : la providence des dieux lui restituait l'héritage de ses ancêtres. Par chance, Constance II, à qui la chose n'avait guère plu, décédait peu après.

« Encore et toujours la providence des dieux... », ironisez-vous.

Le 11 décembre 361, Julien Auguste entrait solennellement dans Constantinople. C'était comme un rêve éveillé, illuminé de pieux phantasmes. Il se voyait réalisant l'image du souverain idéal selon Homère, selon Platon... Il était le pontife mandaté par l'Olympe pour restaurer la gloire bafouée des dieux. Cela dit, selon les historiens sérieux, parmi lesquels des chrétiens, ce fut un règne honnête, à part quelques maladresses et une bavure : interdire d'enseignement les intellectuels chrétiens. Mais un siècle et demi plus tard, le très chrétien Justinien estima intelligent de déclarer : « Nous interdisons qu'aucun enseignement soit professé par ceux qui sont malades de la folie sacrilège des Hellènes », et là-dessus, il ferma l'école d'Athènes. Toujours est-il que Julien, contrairement à ce qu'on raconte, n'a jamais vraiment persécuté les chrétiens. Le 26 juin 363, il trouvait la mort sur le front perse, au cours d'une expédition ratée. Après cet intermède païen de dix-huit mois, l'Empire constantinien était redevenu chrétien comme devant, et Julien serait pour les siècles le héros d'une légende noire fabriquée de toutes pièces, où plus d'un auteur écornera sa propre réputation de sainteté, ou plus simplement d'objectivité historique. Cela justifiait à mes yeux cet effort de réhabilitation. Julien n'avait pas rencontré le Christ : il n'avait rencontré que des chrétiens.

Autre personnage qui vous a retenu, le cardinal Alfred Baudrillart (1859-1942). Membre éminent de l'Église et de l'Académie française, il avait cinq ans de moins que Rimbaud et mourut peu avant Pétain. Pourquoi cet attrait pour cette figure qui, comme celle de Julien, fut double, sinon dans la duplicité, du moins, peut-être, à la manière de toute son époque, qu'il permet de lire dans sa complexité ?...

Les Mémoires, journaux, carnets, souvenirs, confessions, correspondances, ont toujours été mon vice. Des *Lettres* de Pline le Jeune aux *Ta eis eauton* de Marc Aurèle – si j'osais, je traduirais : « Ses oignons » –, du *Journal de voyage d'Éthérie* à la correspondance de Julien l'Empereur, des *Mémoires d'outre-tombe* du vicomte aux *Mémoires de guerre* de Churchill et du Général, j'ai dévoré le passé à belles dents, comme un noceur le présent. C'est que médecins, diplomates, gens d'armes, de littérature ou de théâtre laissent leur âme – comme d'autres leur corps – à la science, qui toujours est à l'affût d'un envers des choses, d'un chaînon manquant, d'un rapprochement inattendu, qui permet de voir les choses autrement. C'est dire que j'ai sauté sur ces *Carnets* du cardinal Alfred Baudrillart, que Paul Christophe a publiés aux éditions du Cerf, avec toutes les garanties scientifiques. Plusieurs milliers de pages pour un prix fort modique ! Non, certes, que Baudrillart me soit sympathique. Il faisait partie de ces « élites » dont de Gaulle disait : « Par peur des bolcheviques, elles se sont frileusement jetées dans les bras des Boches, et ç'a été la collaboration. » La vieillesse est bien un naufrage : il aura fallu que dans les tout derniers mois de sa vie, à plus de quatre-vingts ans, le recteur de l'Institut catholique de Paris allât prôner ouvertement la collaboration avec l'occupant, consternant nombre de chrétiens, fournissant à des gens qui ne demandaient que cela un motif supplémentaire de défiance envers l'Église – et gâchant en un rien de temps le patriotisme de toute une vie. Désolant. Désolé, mais le livre est une mine.

Dans ce premier tome, c'est la Grande Guerre qui est vécue au jour le jour par l'un des plus efficaces propagandistes de la France à l'étranger, agent officieux tout proche de l'officiel, d'une République pourtant anticléricale jusqu'à l'hystérie. Il faut dire que Baudrillart était de ces gens qui, sortis de la cuisse de Jupiter, sautent tout enfants sur les genoux des membres de l'Institut et sont virtuellement académiciens dès leur première communion. Normalien, agrégé, docteur, la grâce le toucha. Prêtre de l'Oratoire, tôt prélat, il consacra sa vie à l'Institut catholique. Académicien comme de juste, il collectionna ce qu'il y a de mieux en fait de distinctions honorifiques. Quand éclata la guerre de 14-18, il avait déjà cinquante-cinq ans. Brûlant de servir la France, il mit à son service les facilités hors pair que lui donnaient son milieu, et plus précisément son carnet d'adresses. Il dînait en ville, voyait tout le monde, Barrès, Louis Liard, Lavisse, et j'en passe. Il correspondait avec tel comte polonais, avec la marquise de Mac-Mahon, avec le grand rabbin. Un *gotha*, un *Who's Who*, un Bottin mondain à lui tout seul – et tout, encore une fois, est noté jour après jour. De quoi, déjà, faire saliver des générations de thésards.

La République de 1914 est alors en capilotade, avec les Allemands à deux pas de Paris et le gouvernement à Bordeaux. Mal vue partout dans le monde en raison de son sectarisme névrotique, elle tentait de se refaire, sinon une virginité, du moins une image présentable. Elle n'avait plus de mission diplomatique auprès du Saint-Siège, et donc plus de renseignements ni d'influence, alors que les empires centraux y avaient trois plénipotentiaires fort actifs. Bref, la République mourait d'envie d'envoyer à Rome un ambassadeur et de retrouver un nonce, mais ne pouvait l'avouer, et moins encore se l'avouer à elle-même, car c'est devant soi qu'on perd le mieux la face. C'est ainsi que sous couvert de divers organismes qu'il dirigeait – un bureau international de renseignements sur les prisonniers de guerre, un comité catholique de propagande française à l'étranger –, Baudrillart va entreprendre une série de voyages. Un aller et retour à Rome, où il est reçu par Benoît XV, par le secrétaire d'État, et entre deux portes par un certain monsignor Pacelli. Puis un long périple en Espagne : Alphonse XIII changera même son emploi du temps pour bavarder avec lui plus à loisir. De retour, c'est à Poincaré en personne qu'il rend compte du voyage : tout est consigné de l'entretien. On apprend aussi que le prélat a été espionné par les argousins (les maladroits !) d'une République qui, à défaut de surmonter ses contradictions, les entretenait. Quelques relents de cuisine quai de Conti (son élection se mitonne sous la Coupole), et le voilà de nouveau chez le pape, chez Gasparri, chez Merry del Val et autres saintes gens. Il y entend, il y dit beaucoup de choses. Nouveau voyage en Espagne, où plus que jamais on espère la victoire des Allemands. Enfin, après un long entretien avec Poincaré, embarquement pour les États-Unis sur une mer infestée de sous-marins ennemis. Déplacement utile, mais *time is money* : le président Wilson expédiera la délégation en cinq minutes... C'est à Chicago en liesse que Baudrillart apprendra la chute de l'Aigle noir.

Quatre années hallucinantes, dont le prélat tient scrupuleusement le journal. Tout est consigné, simplement, comme les choses lui viennent, et s'il arrive qu'il se contredise d'une page à l'autre, c'est bien qu'il est sincère : il sait réviser ses jugements. Un document qui fera date dans l'histoire, la grande et la petite. Pêle-mêle, on entrevoit le jeu des coteries au Vatican, où Benoît XV fait ce qu'il peut, mais peut peu. Barrès souffre de constipation, Pacelli a déjà un petit faible pour l'Allemagne, Loti et Bazin manquent de vomir en visitant l'hôpital militaire dont Baudrillart n'a jamais cessé de s'occuper. Les Allemands mutilent la cathédrale de Reims, maltraitent les populations ; le cardinal Mercier tient tête, en héros, à l'occupation de la Belgique, pendant que Mayol de Lupé, le futur aumônier de la division SS Charlemagne, se saoule et court les femmes. On voit l'empire du tsar basculer dans la dictature des soviets, tandis que déjà se profilent la guerre civile espagnole, l'alliance italo-allemande – et finalement, la guerre suivante.

Tout en arrière-plan, à chaque page évoqués avec rage et douleur, le sanglant piétinement du conflit, les positions dix fois perdues, dix fois regagnées, et la terre qui s'emplit de ferraille éclatée, de barbelés enchevêtrés et de vies perdues.

XI

De la liberté

Que seriez-vous tenté de répondre à qui vous demanderait ce qu'est la liberté ?

Un concept... Un concept aussi accueillant que tous ceux dont nous avons dénoncé le vague. Un concept tout autant serviable aux amateurs de faux problèmes. Qu'il s'agisse de l'amour, de la mort, de la philosophie ou de ce qu'on voudra, chacun met là-dessous ce qui lui vient à l'esprit, si tant est que ce dernier mot soit approprié. Thucydide déjà le disait dans *La Guerre du Péloponnèse* : « Plutôt que de se donner la peine de rechercher la vérité, les gens aiment mieux généralement adopter des idées toutes faites. » Voilà pourquoi à la question « Qu'est-ce que la liberté ? », il est probable que Jean Tartemol répondra : « C'est pouvoir faire ce que je veux où et quand je veux. Personne n'a le droit de m'en empêcher. »

N'est-ce pas le cas ?

De fait, il est des situations où cette définition de la liberté peut valoir. Si Jean Tartemol veut boire un verre d'eau ou de vin à 3 heures du matin, qui l'en empêchera ? Mais Tartemol ne se meut pas dans l'abstrait, et sa définition peut perdre de la validité du fait des circonstances. S'il est hospitalisé, une infirmière lui rappellera qu'il lui faut rester à jeun en vue de l'intervention qu'il va subir. Mais si Tartemol fait de sa définition un absolu et l'universalise, l'appliquant à toute forme d'action dont chacun sera désormais le seul juge, cela même implique que n'importe qui peut légitimement faire n'importe quoi quand ça lui chante, étant entendu que dans cette perspective, « il est interdit d'interdire ». Qui en aurait le droit ? On reconnaît un des slogans de ce qu'on appelle, de façon quelque peu exagérée, « la pensée 68 ».

Au reste, cette prétention émanant d'un ego surdimensionné exalté par l'idéologie avait-elle grand-chose de neuf ? En *République* VII, Platon revient trois ou quatre fois sur les périls que court une société où les parents se laissent dépasser, où l'on refuse toute forme de contrainte, où l'on revendique comme premier « le droit de faire ce qu'on veut », etc. Aristote dénonce de même dans le *Politique*, au chapitre XVI, le « copinage » parents-enfants – si courant de nos jours – et déplore que la multitude préfère le désordre à la bonne conduite. Au point qu'il en vient à se demander « en quoi certaines foules diffèrent des bêtes sauvages ». Situations dont, quatre siècles plus tard, Tacite constate les dégâts dans les *Histoires*, à propos du règne de Vitellius : « Chacun ayant sa notion de ce qui était permis, finalement, tout l'était. » Voilà bien, dit-il dans le *Dialogue des orateurs*, « cette licence que les imbéciles appellent liberté ». Nous y sommes. Était déjà présente cette anarchie où Jean-François Revel verra « une régression vers la pensée prélogique ». Ainsi, à défaut de savoir ce que serait la liberté « en soi », comme trop se le sont figuré, du moins savons-nous ce qu'elle n'est pas, et pourquoi. C'est autant de gagné au moment de nous demander ce que pourraient être concrètement une pensée, une parole, une conduite libres, ou plutôt de le demander à ceux dont l'expérience et la réflexion peuvent encore nous aider, car la question ne date pas des temps modernes...

On a envie de vous dire comme Gustave Thibon qu'il faut opérer un « retour au réel ». Parlons concrètement, comme vous aimez à le faire.

Oui, parlons-en. Pas du « concret abstrait », si je puis dire, mais du concret de telle civilisation à tel moment de son histoire. Quelle idée s'y faisait-on de ce que nous appelons la liberté ? Aussi longtemps que dans une civilisation le « nous autres » prime le « moi je », autrement dit que le sentiment d'appartenir à une collectivité – cité, royaume, république, empire...– demeure prioritaire, la première des libertés est évidemment l'indépendance de l'État dont on est citoyen par rapport à quelque puissance étrangère. Dans un pays autonome, en revanche, le sentiment de liberté du citoyen dépendra en premier de la nature du régime : tyrannie, démocratie. C'est ce qu'a noté Hérodote, au livre V de son *Histoire* à propos des Athéniens : « Soumis à des tyrans, ils ne valaient pas mieux à la guerre que leurs voisins, mais libérés de la tyrannie, leur supériorité fut éclatante... Dans la servitude, ils refusaient de manifester leur valeur, puisqu'ils peinaient pour un maître, tandis que libres, chacun dans son propre intérêt collaborait de toutes ses forces à la réussite de quelque entreprise. » Ainsi, dépendre amoindrit et donc stérilise, dès lors que cette dépendance n'est pas vue comme un bien. Étant entendu, comme le dit par deux fois Eschyle dans *Les Euménides*, que tyrannie et anarchie ne valent pas mieux l'une que l'autre pour la cité. Au reste, la déesse Athéna en avait fait une règle pour ses citoyens. « Quoi de mieux pour la cité, dira Pline le Jeune six cents ans plus tard, que l'ordre ; quoi de plus précieux que la liberté ? Et quelle honte si l'ordre se change en dévastation et la liberté en servitude... »

Ainsi, pour toute subjectivité, collective ou individuelle, qui prend conscience d'elle-même, être libre est essentiellement ne pas dépendre. Dans cette perspective, l'esclavage, qui longtemps demeura une donnée sociologique parmi d'autres, exclut en tant qu'absolu de dépendance toute forme de liberté. À ce propos, il n'est pas sans intérêt d'observer que c'est précisément à l'esclavage qu'une pléiade d'auteurs ont assimilé la dépendance de tant de gens, autrement libres, par rapport aux pulsions de leur moi. Si disposer de soi apparaît comme la première des valeurs à laquelle aspire la subjectivité, qui dit addiction dit servitude. C'est le même mot : *douleia, servitus*, dont on use pour stigmatiser l'état de qui cède sans plus résister à quelque plaisir, au point de ne plus pouvoir s'en passer. Et cela qu'il s'agisse, disons : des tourments de la chair, de la convoitise pour les honneurs (toujours au pluriel...) ou pour la richesse, ou simplement du penchant excessif pour l'amphore. Dans cette perspective, comme Euripide le fait dire à Hécube : « Il n'y a donc pas, hélas, un seul mortel qui soit libre... » Si, peut-être, mais encore faudrait-il qu'il le veuille et qu'il s'en donne la peine.

Dans cette perspective, quelles consignes les auteurs auxquels vous vous référez donnent-ils pour accéder à la liberté telle qu'ils la conçoivent ?

Tous vous répondraient, et moi de même, bien sûr : emprunter le chemin de la sagesse, ni plus ni moins. La sagesse qui consiste, je l'ai dit, à garder en tête le message de Delphes : « Connais-toi toi-même » ; « Rien de trop ». Bien savoir ce qu'on est, sans plus, afin de se réaliser soi-même autant qu'on le pourra, conformément à sa nature et à sa destinée.

Voilà qui est moins facile que cela n'en a l'air.

Oui. De la nature, il faut assumer les exigences incontournables. « Ce maudit ventre, qui nous contraint à penser à lui... », grince Ulysse au livre VII de l'*Odyssée*. Et s'il n'y avait que le ventre... Pourtant, il ne sera jamais question de jouer les ascètes, de se priver des joies de la nature. Ce serait insulter aux dieux qui de la nature ont assuré la bonté essentielle et l'ordre. On pourra donc user de tout ce qui est licite selon les lois, et toujours, bien sûr, avec prudence, modération, dignité, respect des autres. De ce point de vue, dans *Alceste*, Euripide déjà notait qu'« un cœur noble est porté au scrupule et va toujours au-delà du devoir ». Quant aux lois, il est bon de le préciser – et c'est avec Pline le Jeune que je le fais –, « on doit éviter les actes malhonnêtes moins par respect de la légalité que par respect de l'honneur, mais on est cependant heureux de voir l'État interdire ce qu'on ne s'est jamais permis... ». Contrairement à ces gens à qui il faut trop de tout pour qu'ils estiment avoir assez, selon le mot de

Maurice Druon, on se gardera de toute forme d'excès, et si vient à manquer ce dont on avait quelque envie, on n'en fera pas une maladie. Ainsi, libre par rapport aux appétits comme le montre Diogène le Cynique, libéré des peurs sans objet comme le disent Épicure et Lucrèce à propos de la mort, on connaîtra enfin une paix dont on n'avait pas l'idée jusque-là. Dégagé de toute servitude, on pensera librement et on parlera de même, selon le vœu d'Euripide dans *Les Phéniciennes*, dans la mesure où le permettra le respect d'autrui. Dans ces conditions, ayant de soi comme de toutes choses une vue juste, être sage, dit Martial, c'est « se contenter d'être ce qu'on est, sans désirer plus ». On ne perdra pas de vue non plus, et là c'est Cicéron qui le rappelle, que « nous ne sommes pas nés seulement pour nous », et qu'il faut de ce fait « resserrer l'association des hommes entre eux », comme l'avaient tant voulu faire Platon, Aristote et bien d'autres. Sans pourtant compter qu'on réalisera un jour la cité idéale, comme Plotin rêvant d'une *Platonopolis*... La démesure, l'*hybris*, guette donc les meilleurs, même à propos du bien... Tel serait le sage, authentiquement libre selon les penseurs de l'Antiquité. Mais eux-mêmes l'ont dit et répété : le sage véritable, qui l'a jamais rencontré ?

Le christianisme ne marque-t-il pas également une rupture, sur le plan de la liberté, avec la pensée antique ?

Quand viendront les temps chrétiens, l'énigme de la liberté humaine se muera en mystère. L'obéissance aux dieux, vague jusqu'alors, comme j'ai tenté de le montrer dans *Les dieux ne sont jamais loin*, est devenue communion entre la volonté d'un dieu dont il est dit dans l'Évangile qu'Il est amour, et l'aspiration de toute ipséité à devenir elle-même. Si l'âme humaine garde toujours son libre arbitre, et donc la possibilité de choisir aussi mal que l'ont fait Adam et Ève au jardin d'Éden, la grâce de Dieu lui donnera d'aller d'elle-même au-devant de ce qu'il veut pour elle, à savoir sa perfection. Nul mieux que saint Augustin n'a exprimé la conversion des antagonismes en communion d'amour : « Seigneur, donne ce que tu ordonnes et ordonne ce que tu veux. » Le latin le dit mieux encore : *Da quod jubes et jube quod vis.* Ce qui n'empêchera pas les chrétiens dans les siècles à venir de reconvertir ce mystère d'amour en « problème de la liberté et de la grâce »... De belles empoignades en perspective, et pour rien.

S'il en va ainsi, quelle liberté nous laisseraient espérer vos chers auteurs pour aujourd'hui ?

On l'aura remarqué, les « chers auteurs » que j'ai cités à propos de la liberté vont d'Homère à saint Augustin, ce qui fait quand même douze siècles, au cours desquels on ne cesse de rappeler les plus anciens. La longévité de ces pensées si souvent reprises, et durant autant d'époques, si différentes pourtant quant à l'idée qu'on s'y faisait du monde, des hommes et des dieux, est en soi instructive. Elle atteste déjà qu'une fois découverte, la subjectivité, disait Merleau-Ponty, ne se laisse plus oublier, et que se pose indéfiniment le problème de sa nature, de sa place dans la société, de son épanouissement, et bien sûr de la liberté de chacun, de chaque ipséité dans le monde tel qu'elle le voit. Et il y a des expériences qui se transmettent, pour différent qu'en soit le contexte. Expériences diverses, certes, mais parfois analogues, et valant de ce fait, sinon pour tous les temps – que savons-nous des âges à venir ? –, du moins pour nombre de siècles dans l'histoire.

Et peut-être bien pour le nôtre ?

Si vous voulez, encore que sur ce point je sois particulièrement prudent. Comme Talleyrand – qui m'a toujours passionné – l'écrivait à Madame Adélaïde un jour de décembre 1834 : « Homme d'un autre temps, je me sens devenir étranger à celui-ci. » Aussi m'en tiendrai-je à ces quelques observations, sans l'ombre d'une prétention de donner à quiconque une leçon.

Mais d'abord, qu'en est-il de la « liberté » dans la France d'aujourd'hui, telle qu'elle m'apparaît ? Je serais enclin à l'y voir comme une obsession, une hantise. À en croire certaines gens de politique, elle serait même en perpétuel danger. Toutefois, que ce soit dans les discours électoraux qu'on la donne pour gravement menacée, ainsi que j'ai cru le remarquer, relativise quelque peu le danger de s'en voir privé demain. Quant à ce qu'on a en tête quand il en est question, j'en suis à me demander si dès le plus jeune âge, on n'aurait pas intériorisé la définition que je prêtais plus haut à Jean Tartemol, et que j'ai trouvée déjà en vigueur au Ve siècle de notre ère... Comme quoi « mes chers auteurs » seraient moins démodés qu'on ne le pense. En effet, dans ses *Récits égyptiens*, Synésios de Cyrène, évoquant la personnalité d'un certain Typhon, frère d'Osiris, dit de lui qu'« il pensait que la seule activité des hommes libres consistait à faire ce qui leur passait par la tête ». Définition qui pour beaucoup de jeunes d'aujourd'hui non seulement va de soi, mais encore doit être tenue pour « un acquis ». Cela dit, je ne suis pas sûr que ce soit la meilleure voie pour accéder à une maîtrise de soi telle qu'on s'en est transmis l'idée pendant si longtemps, et qui seule affranchit de la pire des dépendances : celle de ses propres fantasmes et pulsions. Je songe à tout ce que l'environnement médiatique peut suggérer de ce point de vue à des psychismes – et à des intelligences – en cours de formation. Que de choses à propos de quoi on dira un jour prochain : « Il ne peut plus s'en passer... » Il semble pourtant que de nos jours, ce soit la conception qu'avait de la liberté le nommé Typhon qui a la faveur du plus grand nombre, parce que « la plus moderne ». Soit dit en passant, le même Synésios de Cyrène écrit aussi : « Le mal s'apprend sans maître ; la vertu, en revanche, s'acquiert péniblement. » Or c'est bel et bien Hésiode qu'il cite, dans *Les Travaux et les Jours*. Douze siècles après Hésiode, Synésios ne le trouvait pas démodé...

Voyez-vous ce qui menace la liberté de nos jours ?

S'il me fallait désigner de façon précise ce qui dans la France d'aujourd'hui me paraît faire obstacle à la liberté d'être authentiquement soi, et comme tel libre de penser et de dire, je dénoncerais en premier l'idéologie, dont l'un des plus efficaces exorcistes fut sans conteste Jean-François Revel. Ce fut toujours pour moi un plaisir et une chance de bavarder avec lui à l'occasion. Il connaissait de près les idéologies, et en avait pu constater les ravages. La définition que j'en trouve dans mon exemplaire de *La Grande Parade*, dont je ne relis jamais sans émotion la dédicace, me paraît exhaustive :

« L'idéologie, c'est ce qui pense à votre place. » Ce qui ne semble pas gêner ses adeptes, férus pourtant de liberté. « On se prend parfois à se demander, dit encore Revel, si le goût le plus profond d'une assez grande quantité d'intellectuels ne serait pas le goût de l'esclavage. » À mon avis, les intellectuels ne seraient pas les seuls affligés de cette propension à la dépendance.

La philosophe Simone Weil, évoquant les dangers de son temps, a écrit en juin 1941 : « Nous sommes comme revenus à l'époque de Protagoras et des sophistes, l'époque où l'art de persuader, dont les slogans, la publicité, la propagande par réunions publiques, journal, cinéma, radio, constituent l'équivalent moderne, tenait lieu de pensée, réglait le sort des villes, accomplissait les coups d'État. » Vous aussi, vous déplorez cette situation, et vous êtes également féroce pour « le politiquement correct » de rigueur dans notre pays au climat tempéré.

Oui. Je tiens à le désigner comme un ennemi aussi sournois que dictatorial de la liberté – et plus particulièrement quand il en est question. Disons-le une fois encore, la durée unique vécue par tout être pensant, par toute ipséité, s'inscrit nécessairement dans la durée collective d'un milieu à une époque précise. Ainsi, personne ne peut échapper à la nécessité de respirer « l'air du temps ». Un air tout autant pollué que celui de nos rues, notamment par les idéologies et les fantasmes en tout genre, et moins gravement par les modes. L'air du temps s'engouffre évidemment dans les esprits proportionnellement au vide qu'il y trouve, la culture constituant le seul filtre efficace. Tant et si bien que durée personnelle unique et durée collective finissent chez beaucoup par fusionner. C'est alors tout naturellement qu'ayant perdu son autonomie, le sujet – disons : Jean Tartemol – va se mettre « à penser comme il faut ». Point n'a été besoin pour en arriver là de quelque censure d'État, comme sous les régimes totalitaires ; pour imposer ces « lois non écrites », moins nobles infiniment que celles de l'*Antigone* de Sophocle. « Cela ne se dit pas », « On ne doit pas penser cela » ... Le savoir-faire, la puissance de convaincre de politiciens, de dévots, de gourous, ces censeurs autoproclamés fondant sur leur propre idéologie ou sur leur fanatisme cette juridiction usurpée, y ont amplement suffi. Pire : il se peut même que celui qui serait tenté d'y résister finisse par avoir mauvaise conscience. Du coup, déférer à ce diktat lui permettra de se sentir mieux. Toutes les fois qu'il voudra parler, « il tournera sept fois sa langue dans sa bouche », comme on disait autrefois à propos de choses infiniment moins contraignantes. Et je passe sur le nouveau parler, sur les sourds devenus malentendants, sur les aveugles désormais malvoyants, les infirmes qu'on dit handicapés... Ce qui, à ma connaissance, n'a en rien amélioré l'ouïe des uns, pas plus que la vue des autres, ni rendu leur mobilité à ceux qui s'en voient privés. Ainsi se donne-t-on « bonne conscience » quand on a la chance, pas toujours savourée comme on le devrait, de vivre en bon état. S'il me fallait conclure d'un mot ce moment de réflexion sur la liberté, je dirais qu'il en faut donner aux autres et le goût et les moyens, dans la mesure où on le peut.

XII

De la politique

Lucien Jerphagnon, on vous imagine conversant avec les héros antiques ; vous-même vous dites en souriant « prendre l'apéritif avec tous les Césars ». Pour autant, vous avez été un témoin de votre temps, et même un acteur, puisque de 1966 à 1984 vous avez été conseiller à l'Institut international de philosophie (CNRS et Unesco), où vous avez fréquenté entre autres Jean d'Ormesson, un ami de cinquante ans. La politique n'a jamais été votre fort, ni votre préoccupation première, ce qui ne vous empêche pas de vous proclamer « archéo-gaulliste ». Ce qui n'empêche non plus qu'en Mai 1968, quoique vous ayez été en retrait du mouvement, vous n'en avez pas moins porté secours à l'un de vos étudiants emprisonné... Pour vous, l'homme que vous admirez, cela fut, cela reste Charles de Gaulle, dont vous aimez les citations, « ces sentences qui surgissent au détour d'un développement ; ces mots aussi laissant les auditeurs stupéfaits avant d'entraîner l'acquiescement, voire le rire. Et toujours l'éclair de joie de l'inattendu »...

Vous voyez, au mur de mon bureau, ce portrait tout simple de Charles de Gaulle des années 1960. C'est sous ses yeux que je travaille. Quand je me perds dans le vague de la réflexion, il me rappelle ce que je dois à mon lecteur. Du coup, je me relis une fois encore. Lui-même historien, comme l'a montré mon confrère Alain Larcan, il avait tout lu. De lui, j'aurai moi aussi tout lu, et je viens encore de relire *Les Chênes qu'on abat* de Malraux. De Gaulle, dit Malraux, a été « une volonté qui tint à bout de bras la France ». Cette France dont il s'était toujours fait, a-t-il écrit, « une certaine idée ». Une idée aujourd'hui disparue et qui si longtemps a été la mienne. Et comme lui encore je dirai : « Il est étrange de vivre consciemment la fin d'une civilisation. » De lui, je tiens cette lucidité. Et de tant d'épisodes de sa vie, de tant de ses actions, de ses paroles, de ses écrits, s'est renforcée en moi la volonté d'être libre, le souci de l'indépendance : « Mettez toute votre énergie, avait-il dit, à rester indépendant. » Il sut l'être, et dans tous les milieux comme dans toutes les circonstances. Il me plaît de me dire que ses deux derniers anniversaires du 18-Juin, il a choisi de les passer hors de France. C'est Michel Onfray, un homme de gauche, qui un jour a écrit : « Il est une chose que je ne pardonnerai jamais à la gauche : c'est d'avoir fait croire que de Gaulle était de droite. » De fait. Le souvenir me revient d'un certain matin où Guy Besse m'appela au téléphone. Il était chargé de cours dans le service de philosophie. Guy Besse, à l'époque un haut responsable du Parti communiste : « Vous savez la nouvelle ? De Gaulle est mort… » Un temps, puis : « C'était un grand homme… » L'âge m'aura conduit à voir l'homme du 18 juin rejoindre dans la mémoire des jeunes Jeanne d'Arc, Hugues Capet, Clovis… Au mieux.

Qu'avez-vous pensé de François Mitterrand ? Finalement, ne lui délivrez-vous pas également un bon de sortie pour l'histoire ?

Tout me séparait de François Mitterrand : je ne m'en suis jamais caché ; pourtant, cet homme possédait trois dimensions, dirais-je, qui transcendaient l'entourage et initiaient, comme il arrive parfois, cette impalpable communion entre les âmes les plus fermement opposées. La culture et le style d'abord : quel académicien il aurait fait ! La constance aussi devant la souffrance et la mort : un Sénèque que Néron aurait laissé suivre jusqu'au bout le chemin. Enfin, par-delà cet agnosticisme que plus d'un, parmi nous, aura connu, l'espérance chrétienne retrouvée au seuil de l'éternité.

Vous aimez également une de ses répliques.

Il me souvient qu'évoquant avec un journaliste sa prochaine rencontre avec Dieu, il avait souri et répondu : « J'espère qu'il me dira : sois le bienvenu ! »

Vous avez également rendu un hommage à Jacques Chirac.

Oui. C'était après le 16 juillet 1995. Il s'agit d'un texte que j'ai écrit pour *La Revue des Deux Mondes* et que je vous lis volontiers. « Anniversaire de la rafle du Vel' d'Hiv', mémorial de notre honte. Je dis bien : notre. Car enfin, les photos qu'on a revues dans la presse parlent sans détour : à côté des uniformes allemands, c'étaient bien des képis français qu'on voyait. Et présidant à cet embarquement des juifs, pour beaucoup sans retour, il y avait des hauts fonctionnaires, des ministres de Vichy. Eux aussi étaient français. Sortant de leur nullité ordinaire, conscients de leur pouvoir, ils avaient réussi à en remettre sur les réquisitions du vainqueur. Ils avaient bien mérité du IIIe Reich. Encore le bruit court-il que le Trésor public français se serait repu, pour une part, des dépouilles de ceux qui, de ce voyage-là, ne reviendraient jamais. Oui, en ce 16 juillet, désormais consacré à la mémoire des juifs sacrifiés par la complaisance, et parfois la haine, qui s'affichaient alors sous le drapeau inchangé de la France, le président Chirac a, le premier, dit ce qu'il fallait dire. À ce discours, la gauche a fait la fine bouche : le pavlovisme d'opposition, l'ombre du prédécesseur. À l'exception, je veux le dire, de M. Rocard, de Mme Royal, de M. B.-H. Lévy, de M. Hue, et finalement de M. Jospin. C'est leur honneur. À droite aussi, j'ai entendu des distinguos scolastiques. À l'extrême droite, ce fut bas. Mais passons. C'est à ces photos de 1942 que je voudrais plutôt revenir, à ces autobus à plate-forme qu'on charge sous l'œil indifférent des "gardiens de la paix", comme on dit. Simplement, comme s'il se fût agi d'une excursion. Sur ces visages, la plupart happés, déjà, hors du temps, je lis la surprise infinie, l'incrédulité, une peur encore sans forme, et je reconnais là le commencement du désespoir. Oui, Jacques Chirac, le premier, a dit ce qu'il était juste de dire. Que la France n'évite plus le regard de ces victimes qu'elle a fini par reconnaître comme étant aussi les siennes. Qu'elle n'oublie jamais le regard perdu de ces ombres. »

Cette repentance a-t-elle réveillé des souvenirs personnels de ces années noires ?

Oui. Je suis né en 1921. Je suis un enfant de l'après-Première Guerre mondiale et lorsque j'allais à l'école et au lycée, je voyais bien qu'à tous mes profs, il manquait un bras, un œil. Si bien que pendant la guerre, lorsque j'ai été envoyé dans cette usine de munitions, où le moindre faux pas dans le maniement d'une caisse provoquait une explosion et, avec elle, la mort de celui qui l'avait commis, je me disais : ce n'est pas marrant mais il y a pire. J'ai risqué ma peau plus d'une fois pendant deux ans mais je me disais toujours : ça aurait été encore plus terrible si j'avais été dans les tranchées, obligé de m'exposer en montant avec mon flingue à la main, pour tirer sur les Allemands qui m'auraient tiré dessus... Chaque jour, je me disais : je vais peut-être me faire sauter tout à l'heure, mais je suis toujours là. Tout à coup, j'ai découvert le prix de la vie. Pour les jeunes, évoquer ces atrocités, c'est un peu comme de parler du diplodocus de Carnegie... Et pourtant, faut-il le taire ?

Quand je pense à ce qu'ont souffert les pauvres juifs... Rien que pour emmerder les Allemands, moi qui ne suis pas juif, je montais dans le dernier wagon du métro parce que c'était le seul qui leur fût autorisé – c'était plein d'étoiles jaunes. Quelquefois, il y avait des connivences, un clin d'œil. Pour moi, ça allait de soi. Je n'oublierai jamais le regard de ce vieux juif que j'avais rencontré rue de Rivoli avec son étoile jaune, et toutes ses décorations de la guerre de 14, et je lui ai tiré mon chapeau. Je n'oublierai jamais ses yeux. Il faut être présent aux présences. Non, je n'oublierai aucun d'eux et je me les rappelle avec plus d'acuité encore lorsque je repense à la phrase de Pierre Dac, à ses mots d'une profondeur inouïe :

« On prétend qu'il n'y a personne là-haut. Regardez les cieux, vous y verrez plein de petites étoiles jaunes. »

Que faites-vous en revenant après la guerre ?

Comme j'avais rompu avec une partie de ma famille, j'ai donné des cours dans l'enseignement privé. Il y avait des heideggeriens, des existentialistes, des personnalistes, des marxistes... Je ne me suis inféodé à aucun courant. Car je sentais qu'ils ne répondaient pas à la question essentielle que je me posais, que je me poserai toujours, que je me poserai jusqu'à ce que je casse ma pipe – j'aurai alors peut-être la réponse : on ne sait jamais, nous aurons peut-être de grosses surprises ! Toutes ces écoles n'étaient que des idées converties en mots. Rien, chez elles, ne me satisfaisait parce que mon intuition était brutale, extatique, et je savais que cette présence « étonnante » du monde avait eu lieu. Les philosophies ne répondaient pas à mon intuition. L'existentialisme m'intéressait, mais la façon de Sartre ne me satisfaisait pas. Je n'ai jamais été marxiste. C'est pourquoi, je le répète, j'ai été stupéfait quand je suis tombé dans la pensée de Jankélévitch. Là, j'ai trouvé la question qui répondait à ma question. Et de n'avoir de réponse à la question que la question, c'était comme une entrevision du principe – mais un principe qu'on ne peut toucher que dans l'instant. Cette présence était indicible, elle ne pouvait être que bafouillée. Aucun de mes maîtres, et c'est une des raisons pour lesquelles je leur suis si reconnaissant, n'a réussi à me désintoxiquer de mon intuition. Je ne me suis jamais dit : mais c'est complètement idiot ce que je pense ! Ou bien : je me rends bien compte que ma question n'a aucun sens ! Je n'ai jamais été dégradé par la thèse, l'antithèse et la foutaise ! La seule chose qui m'ait intéressé dans l'existentialisme, c'est la conscience d'un monde incompréhensible. La philosophie me fascinait par tempérament. Mais je ne savais que trop combien cela risquait de dégénérer en système. Je voulais respirer l'air du plus grand nombre d'époques possible. J'avais le goût aussi pour l'histoire, mais pas comme un archiviste. Du coup, je me suis dit : historien de la philosophie, ce ne serait pas mal. En tant que philosophe, je ne me voyais pas créer un étage de plus à la tour de Babel ! Ce qui m'intéressait, c'était de me balader dans l'air du temps : celui de l'Antiquité et du Moyen Âge. D'Homère à Jeanne d'Arc. Même si Jankélévitch m'avait collé des cours sur la métaphysique critique de Kant... Je faisais passer la morale aux étudiants et Raymond Aron, la sociologie. Raymond Aron et moi, nous nous sommes bien amusés ! Je l'admirais beaucoup.

Et le marxisme ?

Je savais qu'immanquablement le marxisme ferait un grand nombre de morts. Le divin Lénine, ça n'était pas mal. Staline n'était pas mal non plus. Je me souviens de ceux qui en 1936 défilaient avec le drapeau rouge à Bordeaux. Ils ne m'ont pas plu : dans leurs rangs, je n'ai pas vu les vrais ouvriers, ni les vrais travailleurs que je connaissais des deux côtés de la famille. Mes parents, au sens large, n'appartenaient pas à la haute société ; c'était des gens qui travaillaient et qui étaient eux-mêmes en contact avec des travailleurs. Et ces gens-là ne me disaient pas de bien de ceux qui se baladaient derrière un drapeau, en nous assurant que c'était la lutte finale. Je trouvais que le marxisme avait l'air d'une singulière construction, sans doute belle, mais fausse. On en savait déjà les crimes. Je ne pouvais pas admettre qu'on fasse advenir une société idéale en commençant par zigouiller un grand nombre de gens : ça m'a toujours été désagréable. Je n'ai pas davantage pardonné à la République française d'avoir assassiné ce pauvre Louis XVI et sa femme, et d'une façon si lamentable. Ce n'est pas un point de vue d'homme de droite – François Mitterrand lui-même l'a regretté ! Je n'ai jamais admis que pour rendre les gens heureux, pour répandre le bonheur, il faille d'abord répandre le sang. J'ai une aversion pour les mouvements violents. C'est aussi bien vous dire que je n'aimais pas le nazisme non plus. Et je l'ai vu de près ! Quand j'entendais ces illuminés de 68 gueuler : « CRS, SS ! », j'avais envie de leur dire un certain nombre de choses qui venaient du cœur, parce que, moi, les SS, je les avais vus en direct. De très près. Je ne peux pas oublier cette époque. L'Allemagne m'occupe toujours, surtout dans les rêves, ou plus précisément dans mes cauchemars. J'ai failli y crever un certain nombre de fois. On ne se remet pas de ces choses. Plus tard, j'ai vu la RDA de près. C'était quelque chose...

Bref, aucun de ces systèmes-là ne me paraissait digne de respect. Au demeurant, j'ai plus de respect pour les vrais communistes que pour les soixante-huitards. Ce sont les communistes qui ont stoppé les soixante-huitards. Ce fut une bonne chose ! Et puis les communistes ne détestaient pas de Gaulle, qui n'était pas un homme de droite. Moi non plus d'ailleurs ; sans être de gauche pour autant. Mon pauvre père qui travaillait dans la Fonction publique voyageait en troisième classe avec sa carte de première. Je lui disais : « Pourquoi tu fais ça, papa ? » Il me répondait : « Parce que je m'emmerde en première. » Il adorait dialoguer avec les gens simples.

Vous avez imaginé un conte satirique, un peu à la manière de votre lointain ancêtre, Lucien de Samosate. Voulez-vous nous en faire part ? Vous y dites assez votre horreur des totalitarismes, quels qu'ils soient. Nous vous écoutons...

En l'an 3095, un touriste japonais aux allures d'étudiant, visitant les vestiges de l'antique Paris, avait fini par découvrir le lieu de culte ésotérique tant vanté par l'agence de voyages : ce village était le dernier endroit où une certaine religion, florissante dans l'Antiquité, avait gardé des fidèles. La façade s'adornait d'une faucille et d'un marteau entrecroisés, et d'un verset de Marx qu'il ne comprit pas. Il avait un peu perdu son français : les langues mortes lui jouaient parfois des tours. Le Japonais prit une photo. Entendant des bruits de voix, il se dit qu'il avait de la chance, et il entra. Il reconnut le soviétique du IVe style, car il était bon en histoire de l'art. Les vitraux resplendissaient de soleil, et de la voûte tombait une floraison de drapeaux rouges. L'assistance était clairsemée : de vieilles dames surtout, quelques messieurs âgés, deux jeunes couples. Un bébé piaillait de temps en temps.

Tout au fond, dans la lumière d'une splendide verrière où brillaient la faucille et le marteau, l'emblème sacré, on voyait sur une estrade des hommes vêtus d'une combinaison bleue, un foulard écarlate au cou et portant un étrange couvre-chef que le Japonais reconnut d'après les reproductions de ses livres : c'était la fameuse casquette, symbole de l'antique prolétariat. Ils entouraient le trône d'un vieillard, vêtu de bleu lui aussi et portant foulard de pourpre, mais sa casquette était faite de tissu précieux, où scintillaient des étoiles : un haut dignitaire, à n'en pas douter. Le Japonais prit une autre photo. Le vieillard s'était levé, imité par l'assistance. Il dressa lentement le poing et, d'une voix chevrotante, psalmodia : « Prolétaires de tous les pays… » – et le peuple répondit : « Unissez-vous. » L'un des acolytes ouvrit devant lui un gros livre rouge. Le vieillard toussa, reprit son souffle et récita : « Lecture du camarade Engels. » L'assistance se rassit, et l'officiant poursuivit : « Le christianisme s'est emparé des masses comme le fait le socialisme actuel, sous la forme de sectes multiples, et plus encore par... »

Assis dans son coin, le Japonais avait perdu le fil. Il regardait les vitraux, il reconnut un Marx en gloire, et Lénine, et Staline, Ulbricht même – il avait eu la mention au certificat d'études antiques européennes –, mais d'autres ne lui disaient rien. Sous une icône auréolée, il déchiffra un nom comme Georges Marchoux, ou Marchand, il distinguait mal. La lecture des textes achevée, l'officiant développait, mais cette fois en langue vulgaire, en *basic english*, un verset de Lénine : « La littérature doit devenir une littérature de parti. » Le Japonais s'ennuyait un peu. Son voisin, qui dodelinait de la tête, sursauta : le bébé hurlait, cette fois, et sa mère l'emportait précipitamment vers la sortie.

Le prêche avait pris fin, et des gens vêtus de bleu, portant casquette et foulard rouges, quêtaient dans les rangs : « Pour la grande révolution socialiste, camarades ! Pour la... » Le Japonais y alla de sa pièce. Puis le moment devint solennel. L'officiant ajusta sa casquette étincelante, et de nouveau s'écria : « Prolétaires de tous les pays... » – et chacun de lever le poing aussi haut que le lui permettait l'arthrose : « Unissez-vous. » L'assemblée était maintenant debout, recueillie. Les acolytes avaient apporté une faucille et un marteau d'argent. Le célébrant saisit l'une de la main gauche, l'autre de la main droite, et lentement les croisa. Le Japonais prit une photo et sourit : celle-là ferait des envieux. La voix du vieillard s'éleva : « Mes biens chers camarades, Marx et Engels ont dit : "Les philosophes n'ont fait qu'interpréter le monde de différentes manières ; ce qui importe, c'est de le transformer. Leurs paroles ne passeront point. »

Levant très haut l'emblème, il s'écria : « Que la dialectique, thèse, antithèse et synthèse, vous donne de comprendre le monde, et de le transformer ! » Là-dessus, une dame âgée se saisit d'un accordéon et préluda : *La sol fa do, la ré ré...* L'assemblée, d'une seule voix, entonna un cantique qui semblait monter, inchangé, du temps des premiers disciples : « C'est la lutte finale – Groupons-nous et demain – L'Internationale sera le genre humain. » Le Japonais s'éclipsa discrètement. Il voulait une photo des gens qui sortaient, maintenant, tandis que se déchaînait l'accordéon. Une vieille dame disait à une autre : « Oui, Sa Camaraderie a l'air un peu plus solide. Mais c'est bien dommage qu'on n'ait plus de meeting solennel que pour le 1er Mai... » Un homme très âgé, l'œil embué, passa. Chaleureux, ému, il entreprenait un petit garçon : « Plus tard, tu pourras dire que Sa Camaraderie le Secrétaire général t'a envoyé dans les luttes. Car la révolution est proche... »

Le Japonais prit une dernière photo du bourg. Il n'avait plus de pellicule. La fille de l'agence avait raison : c'était une visite intéressante. Pourtant, il éprouvait comme une gêne. Il avait l'esprit pratique, et n'avait jamais trop aimé les mythes. Mais songeant à sa moisson de clichés rarissimes, il se félicita de sa matinée. Le bilan était globalement positif.

XIII

De la culture

Qu'en est-il, selon vous, de la culture dans la France d'aujourd'hui et de l'influence qu'elle peut avoir en Europe ?

Oui, la culture... Imaginons un ingénieur dont les seuls problèmes de haute technique retiennent l'attention, rencontrant au bar d'un hôtel-restaurant un haut commercial, un *trader*, qui n'a d'autre chose en tête que le souci des marchés, le niveau de la Bourse, et qu'à eux deux se joigne un juriste dont le droit est bien l'unique préoccupation, et cela depuis toujours. Trois « puits de science », donc, comme on disait de mon temps ; trois « grosses têtes », comme on dit de nos jours. Qu'en serait-il de leur conversation, si tant est qu'ils échangent quelques propos, chacun devant son verre ? La pluie, bien sûr, le beau temps, ou la qualité des prestations du restaurant. Et s'ils venaient à s'aventurer sur le terrain sociétal ou politique, on aurait trois monologues parallèles, de ceux qu'on appelle – allez savoir pourquoi – « des échanges », « des dialogues ». Ah, j'oubliais les sports... Encore ne voyais-je là que trois Français.

On dira que j'ai forcé le trait. Il se peut. Toutefois, je puis assurer que j'ai plus d'une fois été le témoin amusé ou consterné de scènes de ce genre. Et j'ai tout lieu de penser que ce style de « rapports humains » – encore une expression courante – tend à se généraliser. En effet, depuis – disons quatre décennies – quand la question vient à se poser de la formation des intelligences, il apparaît clairement que c'est le souci du rentable à court terme qui hante la mentalité collective. Mentalité collective dans laquelle s'inscrit plus spontanément que jamais la pensée de chacun. La pensée... Enfin, ce qu'on entend habituellement par là. Ainsi, « les matières » – un drôle de mot en l'occurrence –, dont l'utilité pratique n'apparaît pas évidente, se trouvent reléguées au rang du superflu. Je pense, bien sûr, aux langues anciennes, qu'on dit mortes, précisément, mais aussi, en littérature, à nos « grands auteurs », ou encore à ces personnages de romans, de pièces de théâtre, à ces héros qui chantaient dans nos mémoires. Au fait, n'a-t-on pas parlé, il n'y a guère, de supprimer la philosophie, ou je me trompe ? Obsolète, tout cela ; démodé plutôt, si l'on veut être compris : le vocabulaire aussi a changé, pour ne rien dire de l'orthographe. Comme le latin au temps des Mérovingiens, le français glisse à la langue morte. Quant aux « matières principales », celles qui « servent à quelque chose », elles se voient restreintes aux dimensions précises de ce qu'on en attend : les mathématiques n'ont d'utilité qu'« appliquées » ; les langues vivantes s'apprennent en vue du commerce, des relations internationales, et bien sûr, des voyages. Il est évidemment plus utile, dans l'immédiat, de s'enquérir des toilettes que de gloser sur Shakespeare, Cervantès ou Dante Alighieri.

Quelle explication à ce mouvement qui semble irréversible ?

Pareille restriction du champ des savoirs pourrait se justifier par la dureté des temps – encore que je ne voie pas en quoi celui-ci serait plus éprouvant que le furent les années 1930 et 1940. Mais il n'est pas rare qu'à ce repli sur l'élémentaire on découvre des motifs idéologiques. Ainsi de cette étudiante qui peu après Mai 68 déclara à Jacqueline de Romilly : « Oh ! Non, la culture, je n'en veux plus, car je pense à ceux qui ne l'ont pas ! » Gageons que cela n'aura entravé en rien son avancement. Rien ne s'en va plus vite qu'une culture ; rien ne demande autant de temps que son retour. Faut-il rappeler une fois de plus le coma intellectuel où tomba l'Occident, de la chute de Rome en 476 jusqu'aux temps carolingiens, et aux siècles qu'exigea sa réanimation ? Aussi, tandis que se construit l'Europe, peut-être serait-il bon que les fils et les filles de ce monde polarisé par la consommation, l'opérationnel et la rentabilité se donnent le plaisir, entre deux tranches d'économie, de technologie, de droit, et deux rafales de jeux télévisés entrecoupés de publicité – oui, peut-être serait-il bon que ces jeunes, que ces futurs vieux, se donnent la joie de rencontrer Hamlet, don Quichotte, Faust, Béatrice, et pourquoi pas Énée et Didon ? Et comme dit encore Jacqueline de Romilly, de vivre pour leur compte « cette vie souterraine des textes, qui continue d'âge en âge et d'un esprit à l'autre ». Et qui est l'âme même de cette Europe dont on parle tant, et dont on évoque l'avenir sans tellement en connaître le passé.

XIV

De la philosophie

À un journaliste qui lui demandait, dans les années 1930, quelle serait la philosophie de demain, Henri Bergson répondit : « Si je le savais, je la ferais ! » Et vous-même ?

En vérité, Bergson parlait en philosophe, et non en prophète. Mieux que personne, le philosophe de la durée savait que toute pensée est datée. Tout philosophe s'inscrit dans le temps pour parler de l'éternité ; dans le fini pour parler de l'infini ; dans le contingent pour parler du nécessaire ; dans le partiel pour parler de la totalité ; dans le particulier pour parler de l'universel ; dans le relatif pour parler de l'absolu.

Homme de son temps, le philosophe dépend, comme tous les autres, d'un certain état des connaissances et, plus largement, de l'univers mental de son époque, de ses valeurs, de ses interdits, de ses aspirations. Bref, à quelque siècle qu'il appartienne, le philosophe respire l'air du temps, qu'il s'en accommode ou qu'il y suffoque au point de tout faire pour le renouveler. Mais en ce cas, dans quelle mesure parviendra-t-il à s'en libérer ? Pris dans les catégories mentales de son temps, le philosophe en sera tributaire jusque dans sa façon de prendre ses distances. Ne serait-ce qu'en raison du langage. « Voilà, dit Aldous Huxley, notre ironique destin : avoir des sentiments shakespeariens et en parler comme des vendeurs d'automobiles, ou des gosses de treize à dix-neuf ans, ou des professeurs d'université... »

Or c'est bien dans ces conditions-là, qui varient selon les époques, que tout philosophe entreprend d'élaborer sa propre vision du monde. Mais qui ne voit aussitôt combien cette expression est confuse ? Elle incite, en effet, à imaginer qu'il y aurait « le monde », immuable à travers les temps, et des philosophes autour, occupés à l'observer et à en révéler la nature et le sens. Or il se trouve que la terre, qui était plate, s'est un beau jour arrondie, et d'immobile qu'elle était au centre du « monde », s'est mise à tourner indéfiniment autour du soleil, au grand scandale des hommes d'Église et des philosophes. De même, les êtres humains peuplant « le monde » à partir d'un couple unique créé à cette fin découvrirent que leur arbre généalogique s'enracinait fort loin dans le vivant, ce qui déconcerta une fois de plus théologiens et philosophes, certains du moins. Et rien ne dit que « le monde » ne réserve pas encore d'autres surprises, contraignant nos descendants à réviser leurs certitudes du moment.

Depuis les origines, on spécule sur la nature de ce qui vient sous les yeux et en quoi on se trouve impliqué, et on tente de découvrir les lois qui gouvernent cet ensemble. On avance des systèmes de fins, de causes et d'effets, hypothèses que la suite des temps validera ou non, et cela de façon de plus en plus large et fine à la fois. Dès le VIe siècle av. J.-C., dans le monde grec, la philosophie s'était d'abord superposée aux mythes homériques et hésiodiques, qui depuis les origines donnaient du cosmos une explication transcendante. Chaque philosophe proposait ainsi une ébauche d'explication à hauteur d'homme, sans pour autant congédier les dieux. Au cours des âges, la philosophie se dégagea des mythes et des théogonies, et fixa rationnellement les règles de la connaissance scientifique. Enfin, les sciences, progressant dans tous les domaines, finirent par gagner elles aussi leur autonomie par rapport à la philosophie. Il est donc clair que ce n'est pas le même monde que voient Thalès de Milet, Aristote, Épictète, saint Augustin, Descartes, Hume, Kant, Bergson et Wittgenstein.

Toute philosophie serait-elle donc relative ?

Les philosophes ne méditent pas sur une totalité en soi, toujours semblable à elle-même, mais sur la notion qu'en a leur temps. J'ai déjà cité Paul Nizan : « Une pensée qui s'en tient au cercle ne possède pas le même monde matériel que celle qui peut tenir compte de l'ellipse. Le monde qui est l'objet de la philosophie est une construction des techniques, des sciences et des actions. Une modification continue de cet univers représentable interdit à Kant de répondre mot pour mot à Leibniz. Les différences capitales qui séparent les mondes contemporains de chaque philosophe interdisent aux philosophes d'attribuer des sens homogènes aux diverses expressions de la pensée générale : un nombre réduit d'invariants peut seul leur donner l'illusion d'habiter le même univers permanent. »

C'est dans ces conditions que chaque philosophe, héritant des visions du passé, entreprend de les amender, de les perfectionner, voire de les remplacer par la sienne, qu'il donnera souvent, sinon toujours, pour universelle et nécessaire. Ainsi, les vues de ces philosophes s'imposeront en tant que « discours de la méthode » ou « prolégomènes à toute métaphysique future ». Leurs livres éterniseront l'avis de l'auteur sur « l'avenir de la science », à moins que ce ne soit sur « l'avenir d'une illusion ». Tant il est vrai, disait Georges Gusdorf, que le péché originel de tout grand philosophe est de mettre fin à la philosophie, puisqu'il l'aurait conduite à son terme. Cela vaut d'ailleurs pour les moins grands.

Au temps de ce que Merleau-Ponty appelait « le petit rationalisme », il y a de cela cent ans à peine, certains philosophes crurent même avoir réalisé le rêve du savoir absolu, au bout de tant de siècles d'« obscurantisme ». « Il nous est bien difficile, écrit-il en 1953, de revivre cet état de la pensée pourtant si proche. Mais c'est un fait qu'on a rêvé d'un moment où l'esprit ayant enfermé dans un réseau de relations "la totalité du réel", et comme en état de réplétion, demeurerait désormais en repos, ou n'aurait plus qu'à tirer les conséquences d'un savoir définitif, et à parer, par quelque application des mêmes principes, aux derniers soubresauts de l'imprévisible. »

Craignez-vous une fin de la philosophie ?

Il semble que c'en soit fini, en ce début du XXIe siècle, de ce rêve ou, plus exactement, de cette prétention, qui d'ailleurs ne fut pas le fait des seuls « petits rationalistes ». La philosophie qui si longtemps avait été elle-même la seule science, et qui ensuite avait si longtemps régné sur les sciences, a désormais perdu sur elles son magistère – ce qui, à tout prendre, serait plutôt une chance. À vrai dire, elle n'en peut même plus suivre le développement, tant s'est élevé le degré requis de spécialisation pour y accéder utilement. La maîtrise des techniques en permet désormais les applications les plus audacieuses, considérées autrefois comme relevant de la fiction. Ainsi, Jules Verne et Hergé avaient rêvé juste. N'a-t-on pas commencé à explorer concrètement quelques coins de l'infiniment grand, et à prendre des clichés de ce qui est trop loin, du moins pour le moment ? On inventorie de plus en plus finement l'infiniment petit. Quant à la biologie, elle avance vers la reproduction à l'identique d'un être humain X ou Y, sans tellement se rappeler le temps où la philosophie, pour ne point parler des religions, tenait cet X ou Y pour un être à jamais unique dans l'histoire du monde, et peut-être même pourvu d'une âme appelée à une destinée éternelle. De tous ces progrès, je serais le premier à me réjouir si, rendant le cosmos plus habitable, ils avaient aussi rendu l'homme meilleur. Ce qui, lorsque je m'enquiers de l'état présent du monde, ne me paraît pas évident.

Walter Benjamin imagine la fuite du dernier ange, horrifié de découvrir les ruines de l'Histoire et la détérioration de l'espoir qu'on pourrait avoir dans les progrès de l'homme.

Il arrive que le vertige me prenne à considérer le savoir humain poursuivant sa course indéfinie, lancé vers l'avenir, mais désormais sans ce retour sur soi qui était depuis ses débuts la finalité de la philosophie, du moins droitement comprise. « Science sans conscience, disait Rabelais, n'est que ruine de l'âme. » Je sais bien que pour beaucoup de gens, et de plus en plus, le mot même d'âme n'a désormais plus de sens, promus qu'ils sont par l'extension du matérialisme, libérés par la progression du déterminisme universel. Encore une fois, pas plus que Bergson, je ne saurais dire quelle philosophie je verrais pour le XXIe siècle, parce que, pas plus que lui, je ne sais ce qu'y sera « le monde ». Sans quoi je l'aurais écrite, bien sûr, et sans doute n'aurais-je pas été le seul. Mais curieusement, c'est encore avec Bergson que je me retrouve, pensant comme lui en 1932 que « ce corps agrandi attend un supplément d'âme, et que le mécanique exigerait une mystique ».

Ce qui serait, finalement, revenir à l'histoire de la pensée humaine, sur laquelle j'ai si longuement insisté plus haut. Car depuis les origines jusqu'à nos jours, la vocation première de la philosophie a toujours été de promouvoir en l'homme la conscience de lui-même et du monde, afin de réaliser, en lui et autour de lui, ce que les Grecs appelaient *eudaimonia* et les Romains *beata vita*, autrement dit une vie harmonieuse parce que conforme à sa destinée, et heureuse parce que harmonieuse. Les philosophes ont-ils jamais cherché autre chose, chacun à sa manière, tout au long de l'histoire ? Encore faudrait-il, pour bien les comprendre, ne pas s'en tenir à ce qu'ils ont dit, mais se demander à propos de chacun pourquoi il a dit cela plutôt qu'autre chose. S'il me fallait vraiment formuler un vœu quant à ce que sera la philosophie du siècle nouveau, ce serait de la savoir attentive, certes, au présent et à l'avenir, mais aussi au passé avec tant et tant d'espérances alors si vives qu'on les voudrait partager.

XV

De l'amour

« Parlez-moi d'amour... » Cette dimension aussi a grande importance dans l'humaine condition, et donc quelque place dans la philosophie. À quoi s'ajoute que vous vivez une grande histoire avec votre épouse, Thérèse, si délicatement présente à vos côtés, depuis un demi-siècle. Astrid de Larminat rapporte vos propos dans Le Figaro littéraire *: « Il n'y a d'amour vrai que dans la rencontre de deux êtres qui découvrent que l'autre est seul à être lui, dans l'éternité. À partir de ce moment, on n'est plus libre de soi ! L'amour nous fait craindre la mort de l'autre à chaque instant. Quand on fait un mariage d'amour, on promène une angoisse pour toujours. Mais si c'était à refaire, je le referais avec la même. » Donc, parlez-nous d'amour...*

Heureuse idée : de fait, il y aurait beaucoup à en dire. Encore un de ces concepts si accueillants qu'on se demande parfois de quoi il peut bien être question. De ce point de vue, le grec ancien était autrement précis, distinguant *philia*, *charis*, *eros*, etc., selon qu'il s'agissait d'affection, filiale, amicale ; d'attachement aussi à la Cité, à l'Empire ou à son coin, à « sa petite patrie », disait Plutarque. Ou encore du goût pour les arts et les lettres, ou... de la passion d'Orphée pour Eurydice. Les Romains hellénisés feront de même, eux qui déploraient l'*egestas*, l'indigence de leur langue. Il n'empêche : *amor*, *caritas*, *cupido*, *venus*, *libido*, *voluptas*, etc., spécifient clairement les diverses situations. Cela allait des étreintes entre deux portes du *Satiricon* de Pétrone jusqu'à Didon dans l'*Énéide*, à son amour perdu pour Énée, à son suicide qu'elle paie dans les Enfers. Voilà qui nous change du français d'aujourd'hui, où quand on parle d'amour, et Dieu sait que ce n'est pas rare, cela peut évoquer le plus bas degré de l'élémentaire aussi bien que le plus éthéré du sublime. Cela va des « affaires de sexe » ou, plus crûment encore, prenant ainsi la partie pour le tout, jusqu'à « cet amour éternel en un moment conçu » : de *L'Amour l'après-midi* à *La Princesse de Clèves*. Mais entre les deux extrêmes qu'abrite par routine de langage le même mot, notable est la distance... Au point qu'elle en appelle à l'analyse des situations, au repérage du trajet des consciences. Cela pourrait à tout le moins nous éclairer sur ce que serait l'amour « en soi » s'il le fallait définir. Mais on n'est jamais trop prudent quand on s'avise de suggérer, sinon une définition, du moins une approche, dans quelque domaine que ce soit. Observons donc d'un peu plus près « l'amour tel qu'on le parle », dans la rue, à la télévision, dans les journaux, les chansons, les feuilletons. Et d'abord cet amour qu'« on fait » : le passe-temps d'un soir, ou d'une heure entre deux trains. Là, rien de plus ni de mieux que la complicité de deux appétits, la conjonction de deux corps, la détumescence et la satiété d'un moment. Et même si cela se passe entre gens qui « sortent ensemble », cela ne débouche, si j'ose dire, sur rien de plus ni de mieux que « les plaisirs qu'on a pour dix sols au bordeau », comme dit gentiment Robert d'Artois dans *Les Rois maudits*. Il est d'ailleurs fort possible que les intéressés n'aient rien cherché d'autre. Me revient une chanson des années 1960 avec la voix de Claude Nougaro :

« *Dépêche-toi mon amour : je suis garé en double file...* »

Une chose, en tout cas, saute aux yeux de qui analyse cette rencontre entre deux libidos, pour user du vocabulaire à la mode : rien là qui de quelque manière excéderait l'organique. Les partenaires en seraient interchangeables. Rien, donc, qui manifesterait leur identité ; rien qui impliquerait – disons : l'ipséité, le fait que chacun est soi-même et pas un autre ou une autre. Je songe à ce passage de *Sangre y arena* de Blasco Ibañez, où « el Nacional », comme l'appellent ses camarades, parlant des femmes, assure que « *todas tienen lo mismo en el sitio parecido* », qu'elles ont toutes la même chose au même endroit. Ce qui vaut tout autant pour les hommes. Voilà qui du moins est incontestable et qui précise bien ce qu'à ce niveau l'on entend par « amour ». Ce qui ne doit pas différer sensiblement, question implication de la vie intérieure, de ce que pouvaient être les ébats de deux de ces préhominiens dont nous descendons – ou montons...

Et pourtant, l'amour n'est-il à la fois « l'infini mis à la portée des caniches » comme l'a dit Céline, et la plus haute raison que les poètes ont su saisir ?

Oui. Je pense à l'épouse de Brutus, qui après le suicide de son mari se tua en avalant, faute de mieux, les braises d'un réchaud. À Arria, la femme de Paetus, condamné à mort sous Claude, et qui se frappa la première, et tendit à son mari le poignard, lui disant : « Paetus, ça ne fait pas mal ! » Ou encore à Paulina, l'épouse de Sénèque à qui Néron avait enjoint de s'ouvrir les veines, le plus tôt étant le mieux. Elle le fit, mais les médecins réussirent à ranimer cette infortunée. Une morte sans tombeau durant ce qui lui resta de vie. Et ce ne sont pas là les seules. Rappelons enfin ce couple qui se jeta dans le lac de Côme. Le mari était incurable, et la femme n'envisageait pas un instant de rester après lui en ce monde. C'est une lettre de Pline le Jeune qui le dit à un ami. Ainsi, dans la rencontre de deux subjectivités auparavant juxtaposées dans l'espace et le temps, quelque chose a surgi, qui a changé la donne. L'un des deux, et parfois les deux ont soudain découvert qu'ils ne pourraient plus désormais vivre l'un sans l'autre, et cela parce que, dirait Montaigne, c'était lui, c'était elle, et que c'était moi. Ainsi se manifeste comme dimension essentielle de l'amour la conscience qu'on y prend soudain de l'autre en ce qu'il a d'unique : *hapax*. C'est donc l'amour, du moins quand il est authentique, qui révèle l'ipséité de l'autre au plus près de l'absolu. Certes, la sexualité existe tout autant, mais au lieu d'être « l'amour tout court » – bien court, en effet –, comme elle l'est si souvent, elle n'en est plus qu'un élément. Essentiel autant qu'on voudra, mais un élément. « Plaisir d'amour ne dure qu'un instant ; chagrin d'amour dure toute la vie... » L'amour a tout envahi, tout. Il est devenu une passion. Une passion : la ferveur d'un bonheur a sonné la fin de l'égocentrisme, en s'ouvrant sur l'infini.

L'amour authentique n'était-il pas tenu pour une maladie dans l'Antiquité ?

Oui, il était tenu pour un coup dur, voire une calamité. Finie l'insouciance tranquille. Que d'auteurs prétendent en témoigner ! Je m'en tiendrai à quelques-uns de mes Grecs et de mes Romains. « Hélas, qu'apportent les amours, sinon de la souffrance ? » dit Euripide dans *Médée*. La lettre d'Épicure à Phytoclès va plus loin : « Le sage ne doit pas être amoureux. » Et Lucrèce se montrera fidèle à son maître : « De la source même des plaisirs surgit quelque chose d'amer, qui jusque dans les fleurs prend l'amant à la gorge. » Et encore : « Ces tourments-là, on les trouve dans un amour à qui tout réussit, mais que dire d'un amour malheureux et sans espoir ? » Et bien plus tard Libanios : « Un amoureux devient un esclave. Il se met aux ordres de ses amours, et sa satisfaction croît à la mesure de sa servitude. » Et cela, notons-le, il le dit dans un traité *De l'esclavage*... Tout cela au point que le vertueux Marc Aurèle, stoïcien « pratiquant », et comme tel cherchant à toujours garder son âme libre de ce qui en troublerait la paix, n'hésite pas à appliquer à l'amour la technique stoïcienne de ce procédé qui consiste à réduire à ses éléments ce qui pourrait exciter la convoitise. Cela aussi bien pour un plat dont on est gourmand, pour un vin dont on apprécie l'arôme : « Ça ? Ce n'est jamais qu'un cadavre de poisson. Le falerne ? C'est le jus d'une petite grappe. » Et ce qui se passe dans l'amour, c'est « la friction de deux ventres avec un spasme et une émission de morve ». De quoi décourager, en effet, de s'y aller perdre... On est rarement allé aussi loin dans la réduction à l'élémentaire : le *merismos* ne lésine pas sur la précision.

L'amour est-il vécu comme un leurre ou une réalité, qui permette de découvrir le sens réel du monde ?

Comme l'a voulu montrer Jankélévitch, le fait même que l'amour s'inscrive dans la durée l'expose, chez certains plus que chez d'autres, à une évolution pas toujours édifiante. Dès son entrée dans le temps, l'hégémonie de l'ego est déjà à l'ouvrage. Certes, toute ipséité est un absolu. Mais quand un absolu rencontre un absolu, ils ne se racontent pas tous les jours des histoires d'absolu. Parce que ces deux ipséités, comme telles uniques dans l'éternité, se rencontrent « dans l'intermédiarité médiocrisante de la vie », pour reprendre l'expression de Jankélévitch, elles se racontent des histoires de convenances personnelles, de torts réciproques, etc. Disons que tous les amoureux y sont virtuellement exposés et qu'il ne tient qu'à eux d'en triompher. « Précisément parce qu'il dure, poursuit Jankélévitch, l'amour serait à réinventer à chaque instant dans son élan premier. Veillez, soyez à l'affût de l'instant. » Et ailleurs : « Ne manquez pas votre unique matinée de printemps. » Et si pourtant, à la faveur d'un amour qui a comme transcendé la durée, il nous était permis, le temps d'un espoir, d'entrevoir *hic et nunc* la face cachée de l'Absolu avec un grand A ? De l'Absolu d'où procèdent ces milliards d'absolus tous aussi uniques dans leur ipséité ? D'entrevoir l'éternité d'où émanent ces éternités éphémères ? Oui, le temps d'un espoir. Mais un espoir peut durer une vie.

XVI

De l'amour encore

Continuons notre discussion sur l'amour...

Il faut bien dire qu'on a là tous les cas de figures. Première hypothèse : il n'y a d'amour que d'un côté, et la pauvre Didon, abandonnée par Énée qui a plus important à faire, se perce le flanc devant les souvenirs entassés sur le lit déserté. Virgile la retrouvera aux Enfers, errante et comme absente, figée dans un drame à jamais récent. Pire, la passion d'Hermione fera deux morts et un aliéné. Martyre de la fidélité, la princesse de Clèves ne cédera rien à M. de Nemours. Mieux : elle ira même se confier à son mari – fait unique à ma connaissance – et, du coup, M. de Clèves mourra de jalousie. Elle n'aura plus alors qu'à ensevelir dans le plus proche couvent sa passion, sa douleur et ce qui lui reste de jours. Arvers, lui, restera dans le siècle, mais il y traînera « un amour éternel en un moment conçu », mal évidemment sans remède, car « celle qui l'a fait n'en a jamais rien su». Navrant, mais du moins n'a-t-on pas ici de victimes à déplorer.

Deuxième hypothèse : l'amour est partagé, mais, pour trente-six raisons, les choses tournent mal. Un malheureux quiproquo, et voilà les amours de Pyrame et Thisbé qui finissent sur un double suicide. Parce qu'il est hors de question qu'elle fasse sa vie avec l'abbé Mouret revenu à la santé, Albine choisit d'expirer dans une apothéose de fleurs, dans un délire de fragrances et de gaz carbonique. Camille et Curiace, Roméo et Juliette avaient tout pour être heureux, et il leur fallut mourir parce que leurs familles ne s'entendaient pas très bien. Avec le temps, Rodrigue retrouvera peut-être ses chances auprès de Chimène, mais ce duel avec celui qui devait être son beau-père aura failli tout gâcher, lui valant de traverser une crise éprouvante. Parfois même, c'est la raison d'État qui vient compliquer les choses : Titus et Bérénice devront s'en aller chacun de son côté, le cœur lourd. Du moins leurs amours contrariées ne tourneront-elles pas au désastre, comme cent dix ans plus tôt celles d'Antoine et Cléopâtre.

À ces deux hypothèses, il faut en ajouter une troisième, celle où il n'y a pas, ou plus, d'amour du tout ni d'un côté ni de l'autre. Rencontres décevantes de gens dont la chair est prompte, mais dont l'esprit est faible, croisement de désirs trop précis et d'aspirations trop vagues. Mais la nature a horreur du vide, c'est bien connu ; c'est alors par le manque d'amour que l'amour tue. Emma Bovary est à elle seule une catastrophe, et l'arsenic lui paraît finalement la seule solution. Du moins réserve-t-elle la potion à son usage : Thérèse Desqueyroux, elle, aura raté de peu Bernard, attentif seulement à ses hectares de pins et à « ses patientes découvertes de l'ombre ». Sans compter le cas bien banal où à la lune de miel succède, si j'ose dire, la gueule de bois.

Céline aurait donc raison : « L'amour, c'est l'infini mis à la portée des caniches ? »

Il y a là comme une constante. Tout cela, qui vient de Tite-Live, de Virgile, d'Ovide, de Suétone, repris des siècles plus tard par Shakespeare, Racine ou Corneille, ou que nous décrivent Mme de La Fayette, Flaubert, Zola, Mauriac et combien d'autres – tout cela qui rejoint ce qu'on lit chaque matin dans la rubrique des faits divers –, aurait de quoi alerter sur l'invraisemblable casse résultant de l'amour. Dans toute l'histoire des lettres, je ne vois que les dieux pour esquiver ces difficultés et ces crises. Non qu'ils échappent aux passions : il n'est même pas rare qu'ils tombent amoureux, mais, pour eux, tout s'arrange. Non seulement ils ont à leur disposition une panoplie de techniques sophistiquées : métamorphoses et autres, mais, surtout, ils n'ont pas à endosser les suites de leurs entraînements. Il ne saurait y avoir pour les dieux de drames de l'amour ni de chagrins, parce qu'ils sont censés vivre hors du temps : à peine y font-ils une apparition de loin en loin, et si d'aventure ils s'éprennent de quelque mortelle ou mortel, c'est à ces derniers qu'il reviendra d'en assumer les conséquences à mesure qu'elles s'inscriront dans la durée. On est alors ramené au problème précédent. Chez les simples mortels, je ne verrais qu'une exception : Philémon et Baucis. À ce couple fut accordée la grâce, de toutes la plus précieuse, de quitter ce monde ensemble. À leur mort, les voilà donc changés l'un en chêne, l'autre en tilleul, et les deux arbres joignent leurs ramures. Mais cela, ils le tenaient de Zeus et d'Hermès passant incognito par la Phrygie, et qu'ils avaient, sans les identifier, retenus à déjeuner. Donc l'exemple ne vaut pas. Esmeralda et Quasimodo avaient autrement peiné avant qu'on retrouvât leurs ossements si étroitement enchevêtrés. Bref, si l'on en croit la littérature, c'est un désastre sur toute la ligne. Aragon avait bien mesuré « ce qu'il faut de malheur pour la moindre chanson ».

Ne noircissez-vous pas à dessein le tableau ?

Ce qui nuance un peu ce désespoir à longueur de page, et qui dans la même mesure nous rassurerait, c'est le fait que la littérature, précisément, s'y est complue, et que tout le monde en a profité. Or, si, comme chacun sait, « les chants désespérés sont les chants les plus beaux », il reste que les grandes douleurs sont muettes. Et puis, nous gardons l'impression que les gens qui parlent ainsi du mal d'amour ne voudraient pas ne l'avoir point enduré, ce qui relativise quelque peu le propos et laisse espérer un solde positif. Une exception notable, toutefois : Lucrèce. Au livre IV du *De rerum natura*, il insiste avec une rage insolite chez un épicurien de stricte observance sur les tourments sans fin d'un unique amour. Dans ces conditions, dit-il, autant multiplier ce qu'on ne peut unifier, comme Camus le dira du don Juan. À se satisfaire de maîtresses d'une heure, on risque moins de souffrir mille morts, voire de perdre jusqu'à son bon sens. J'ai idée que Lucrèce s'y était laissé prendre.

Le mal d'aimer est-il notre destin ?

Le mal d'aimer n'est pas le propre des seules affaires sentimentales, et la littérature de tous les temps fournirait à propos des autres formes d'attachement le même florilège tragique, moissonné dans le réel autant que dans le fictif. Monique, qui a suivi dans l'angoisse la longue errance du futur saint Augustin, s'entend consoler par un vieil évêque qu'elle a fini par agacer : « Va, maintenant. Le fils de tant de larmes ne saurait être perdu. » Le père Goriot est ravagé par l'amour qu'il porte à ses filles, et la *Genitrix* de Mauriac aimera son garçon jusqu'à une forme assez sordide de martyre. Dans l'autre sens, me viennent à la mémoire les pages de Michel Onfray sur un père tant aimé : « Je sais qu'une partie de ma chair disparaîtra le jour maudit où il quittera ce monde. » Et l'amitié ? Achille et Patrocle, Oreste et Pylade, Nisus et Euryale, autant d'amis, autant d'alarmes. J'ai encore en tête ces vers d'Horace, suppliant le vaisseau – plus ou moins fiable en ces temps – qui emporte Virgile : « Garde saine et sauve la moitié de mon âme ! » La même expression se retrouve trois siècles et demi plus tard dans *Les Confessions* de saint Augustin, à propos d'un ami emporté en pleine jeunesse : « Je ne voulais pas vivre diminué de moitié... »

Et tout au long du *Temps immobile*, cette lancinante présence-absence de Bertrand, le cousin de Claude Mauriac : « Un convoi triste et blanc, du monde, des larmes, des chants... » – et la vie qui continue. Attachez-vous seulement à un chien, à un chat, à un oiseau, et vous saurez que rien ne dure. Marc Aurèle avait-il trouvé la paix dans ses exercices à la stoïcienne, où il apprenait à se détacher de tout, leçon après leçon, comme d'autres apprennent à conduire, parce qu'il faut aller droit ? Paradoxalement, il n'est pas jusqu'à l'amour de Dieu qui ne soit cause de souffrance, si j'en crois les mystiques. Ils ont retrouvé d'instinct les accents des terrestres amours, ils parlent de nuit obscure, d'aridité, d'abandon et de vide succédant aux trop brèves extases. Si loin paraît le ciel entrevu ! « Je meurs de ne pas mourir », crie sainte Thérèse d'Ávila – « *Que muero porque no muero* ».

Jean Rostand disait : « C'est dans ce qui nous est trop cher que toujours nous sommes frappés. Comme si le seul crime fût d'aimer. »

« Comme si », en effet. Car c'est le problème du mal qui d'abord vient à l'esprit. Il tient tout entier dans une épitaphe latine sur la tombe d'une enfant de six mois et huit jours : « Pourquoi es-tu venue, toi qui aurais été si jolie, puisque ton sort était de regagner aussi vite les lieux d'où tu étais venue vers nous ? » Scandale de l'amour blessé dans ce qu'il a de plus généreux, de plus oblatif, comme disent les gens de psychologie : vraiment, ce serait à croire au diable ! Trop fameux problème du mal, insoluble, bien sûr, car toujours mal posé, en termes trop généraux : du rationnel plaqué sur de l'affectif. Mais ici, c'est sur un tout autre plan que se situerait la métaphysique, et c'est difficile à dire parce que c'est trop simple. Parce qu'un beau jour, à Bécon-les-Bruyères, ou dans le bureau voisin, ou dans un berceau de maternité où il dort, nous avons réalisé que tel être existait – celui-là –, d'un coup nous avons su qu'il n'avait pas son pareil. Qu'il était seul à être lui, unique autrement que les autres, et que notre vie, d'elle-même, s'offrait à lui. Et ce ne sera jamais plus comme avant : nous voilà captivés, capturés par une certaine manière, unique, de sourire, par une voix, un regard, une mimique. Par une synthèse vivante de tout cela, dont tout soudain nous découvrons qu'elle n'avait jamais été depuis les origines du monde, et qu'elle ne sera plus jamais jusqu'à la fin des temps. Et cet absolu, qui a surgi une très seule fois entre deux éternités, il est déjà trop tard pour ne pas l'aimer : parce que c'était elle, c'était lui, c'était moi, pour dire cela comme Montaigne. « Moment férié » de la vie, disait Jankélévitch, où nous sommes prêts à tout donner, tout et le reste, au point que le pire des ladres, le prince des égoïstes, ne se reconnaît pas lui-même !

« Mais voilà que dans le même instant s'est installée en nous, inséparable de la première, une autre évidence : cet être unique, venu en ce monde une très seule fois, n'y sera, comme nous, que pour un temps », écrivez-vous.

« Trois petits tours, et puis s'en vont. » Cet être est, bien sûr, comme nous engagé dans le devenir, où l'on attrape n'importe quoi, les chagrins, la sénescence, les maladies, la mort. Le cher absolu est relatif ! Frisson de joie à le savoir exister ; frisson de mort à le savoir mortel, lui qui, précisément, est pour nous irremplaçable. Qui connaît la première expérience connaît en même temps la seconde. Est-ce un hasard si Catulle, qui si gentiment chantait son amour pour Lesbie, a écrit : « Les soleils se lèvent et se couchent. Pour nous, quand une fois sera tombée la brève lumière, il n'y aura plus qu'une même longue nuit qu'il nous faudra dormir toujours » (VI, 5) ? Voici pourquoi les dieux de l'Olympe étaient si heureux, disions-nous, en amour : tout simplement ils vivaient hors du temps, alors que, simples mortels, nous y sommes immergés, avec tout ce que cela comporte, dont la littérature nous a parlé en long et en large au cours des siècles. Il n'y a pas à sortir de là : si vous avez l'amour, vous avez l'angoisse ; si vous êtes sans angoisse, vous êtes sans amour. Bref, pour nous mortels, il n'y a pas d'amour heureux, tout simplement parce que le bonheur est une idée abstraite, cristallisant tous nos désirs, à commencer par le désir d'éternité. « Toute joie veut l'éternité, disait Nietzsche, la profonde éternité. » Mais voilà, l'amour ne l'aura pas. Sinon en espérance, et c'est là une tout autre histoire. Mais quoi qu'il en soit, commettez le crime d'aimer.

XVII

Du progrès

La philosophe Simone Weil s'était alarmée de ce que les sciences échappaient à la « mesure » de la philosophie ou du moins à la recherche de vérité qui la fonde. Partagez-vous ces craintes ?

À cette question, que posent en effet certains faits d'actualité, on serait tenté de répondre en se déclarant inquiet de cette absence de rapports entre, disons : les sciences en soi et la philosophie en soi. Autrement dit entre deux concepts, deux abstractions. Mais vous savez ce que je pense de ce genre de problématique. Elle situe l'activité intellectuelle dans l'abstrait, autrement dit dans les généralités, bref, dans le vague. Le vague qui est propice à ces réponses qu'on revêt d'emblée d'un caractère universel et nécessaire. On juge ainsi regrettable – en soi, bien sûr –, voire déplorable, l'indépendance des sciences en général à l'égard de la philosophie comme telle. Cela pris universellement, alors qu'il est des cas où l'on aurait tout lieu de se réjouir de l'autonomie des sciences, difficilement acquise au cours des âges. Plutôt donc que de nous mouvoir dans les idées générales – rappelons-nous ce qu'en disait Paul Veyne : elles ne sont ni vraies ni fausses, ni justes ni injustes, mais creuses –, considérons que c'est le même monde et les mêmes hommes que sciences et philosophie ont pour objet, mais qu'elles le regardent selon des angles différents. Entre les unes et l'autre, c'est une question de point de vue. Dans cette perspective, on peut en effet regretter que semblables en cela aux parallèles qui ne se rencontrent pas, ces différents regards ne se croisent pas. Car, et encore une fois, Paul Veyne a raison d'y insister, « la vérité est plurielle ». Il pourrait donc y avoir du bon à tirer de la rencontre de ces différentes façons de voir les mêmes réalités.

De quelle manière sciences et philosophie pourraient-elles se croiser ? Comment imaginez-vous cette rencontre ?

Les sciences s'intéressent, on le sait, à tout ce qui a trait à « la nature des choses et des hommes » : leur genèse, leur durée, le foisonnement de leurs éléments, les lois qui président à leur ordre, et cela jusqu'au plus infime détail. Et l'on ne peut que féliciter ceux qui à cela consacrent leur vie, et souhaiter que ce soit en toute liberté qu'ils le fassent. Quant à la philosophie, c'est l'homme qu'elle regarde en tant qu'animal raisonnable, sa nature, sa vie individuelle et sociale, sa pensée, ses droits et devoirs, ses éventuelles espérances. Finalement, c'est de son bonheur qu'elle s'inquiète, chaque école ayant là-dessus son idée, quant à sa nature et à la manière d'y atteindre le plus sûrement. Dans cette optique, on imagine ce que l'être humain comme tel, vous, moi, peut espérer de l'apport des sciences pour la réalisation, sinon plénière, du moins la plus proche, de cet idéal. Au reste, un long passé en fournirait les preuves, et dans bien des domaines. Dans cette perspective-là, on devine tout l'intérêt pour, disons : l'humanité, que les deux visions se croisent et qu'elles profitent l'une de l'autre. En toute liberté, bien sûr : nous y reviendrons, car je tiens la liberté pour essentielle, je l'ai dit et redit.

Qu'en pensaient vos chers Grecs et Romains ?

Pour eux, ce que nous distinguons aujourd'hui, les sciences et la philosophie, ne faisait qu'un. Connaître les lois de la nature, c'était un moyen – le moyen – d'accéder à ce qu'avait décidé de toutes choses, hommes compris, une transcendance idéale qu'on désignait plus ou moins confusément par les mots de « nature », de « dieux », de « divin ». Ainsi Sénèque : « *Deus sive natura*, Dieu ou la nature », sous-entendu : comme vous voulez. Et je redis que sur ce point, il y avait autant d'avis que de philosophes. De nos jours, en revanche, les sciences et la philosophie n'ont plus guère de rapports, parce que chaque science s'est tant approfondie et développée qu'elle se cantonne dans son propre secteur, ce qui suffit à absorber chaque spécialiste. Les « scientifiques », centrés sur leur spécialité, ont également en tête son application pratique. Cela étant, il était fatal que se soit peu à peu estompée l'ultime finalité de tout savoir : l'homme. Mais l'homme selon toutes ses dimensions : sa nature à la fois matérielle et spirituelle, intellectuelle et morale, individuelle et sociale. Il n'est plus guère aujourd'hui qu'un élément parmi d'autres de l'Univers, dont il suffit de rendre la vie physique, psychique, sociale, professionnelle aussi normale que possible. Tout juste, donc, un élément parmi l'infinité de ceux dont est fait l'Univers. Aussi profitable également, bien sûr, à cet ensemble. Ainsi, vous évoquiez les manipulations génétiques. Elles peuvent apporter sur le plan médical des bienfaits qu'il serait selon moi absurde de refuser a priori pour des raisons, des motifs, plutôt, religieux, affectifs, sentimentaux ou autres. Mais ces manipulations peuvent céder à la loi de l'intérêt sociopolitique, convertissant les sociétés humaines à ce qu'avait si bien décrit Aldous Huxley dans *Le Meilleur des mondes*. Selon les besoins du moment, avec en vue la seule finalité du profit, on fabriquerait des alpha-plus

– surtout pas plus qu'il ne faut de dirigeants ! –, des bêta-moins, et aussi des epsilon semi-avortons si utiles pour les tâches matérielles, à qui l'on pourrait tout demander sans leur donner grand-chose sinon le strict nécessaire, ce dont ils seraient déjà ravis. Cela réalisé, la machine mondiale tournerait à plein régime et au moindre coût. L'idéal, du moins tel que le conçoivent ces « cerveaux », ou ceux que nous appelions « les grands esprits ». Une évolution sémantique qui selon moi en dit long. Une caricature ? Espérons-le. Toutefois, dans l'esprit de Huxley considérant l'ambiance socio-économique du XXe siècle après la Première Guerre mondiale, la caricature n'était pas sans motifs. Ce que je serais tenté de dire, c'est que, de nos jours, l'homme – encore un concept, mais allez l'éviter ! –, l'homme est certes toujours immanent au monde, mais il ne le transcende plus. La philosophie comme sagesse, celle de mes Grecs et Romains, et qui aura subsisté longtemps après eux, semble s'être peu à peu évaporée avec « le progrès ».

Simone Weil a posé la question : « Pourquoi souhaiterions-nous pour la science un progrès sans obstacle ? Nous n'avons aucun bonheur à espérer du développement de la technique, tant qu'on ne sait pas empêcher les hommes d'employer la technique pour la domination de leurs semblables et non de la matière.» La philosophie, comme raison contraignante, le pourrait-elle ?

La philosophie, on ne la respire plus que dans l'espace-temps des bibliothèques, comme je l'ai déjà dit. À cela les philosophes ont eu aussi leur part de responsabilité, ceux notamment pour qui elle s'identifie avec l'idéologie. Sur ce point, je partage, comme vous vous en doutez, le souci de Simone Weil. Comme elle à l'époque, je déplore que la philosophie, et tout particulièrement quand elle vire à l'idéologie, ait perdu toute influence, non pas sur les « sciences », devenues autant de spécialités autonomes, mais sur les « scientifiques ». Espérons que ce n'est pas pour toujours. Je reviens encore une fois à l'inscription de Delphes : « Connais-toi toi-même », et « Rien de trop ». Autrement dit : connais tes limites, et pour génial que tu puisses être, la science n'a pas fait de toi un dieu. De Simone Weil, je voudrais citer un autre passage. Si j'y tiens, c'est afin de préciser l'idée qu'on peut se faire de sa pensée. Une pensée si proche des vrais mystiques chrétiens, et comme telle si ouverte. Dans une lettre de 1942 au père Perrin, Simone Weil écrit à propos de l'Inquisition : « Après la chute de l'Empire romain, qui était totalitaire, c'est l'Église qui la première a établi en Europe, au XIIIe siècle, après la guerre des Albigeois, une ébauche de totalitarisme. Cet arbre a porté beaucoup de fruits. » Quelques pages avant, elle voyait « l'*anathema sit* comme un obstacle infranchissable au christianisme». De fait, qui ne songe instinctivement à l'affaire Galilée, ou encore à ce qu'il advint de ceux qui adoptaient la vision de Lamarck et de Darwin, etc. ? Il aura fallu la fin du XXe siècle pour que l'Église romaine – entre autres – reconnaisse vraiment l'autonomie de la recherche scientifique. Soucieuse d'une science qui ne perde jamais de vue ce qu'est l'homme, attentive toujours à l'exigence en chaque être humain d'une transcendance, Simone Weil aurait aimé, je crois, ce qu'écrit le cardinal Poupard des rapports de la science, de la politique et de la foi. C'est lui, en effet, que le pape Jean-Paul II avait chargé d'éclaircir le dossier Galilée, si je puis dire. Le cardinal, alors ministre de la Culture du Vatican, a déclaré : «Il n'est ni raison d'Église ni raison d'État qui puisse justifier une contrainte illégitime à l'égard des droits de la pensée.» Voilà qui est clair. D'autant plus que pour que ne subsiste à ce sujet aucun doute, Poupard rapproche l'affaire Galilée et… l'affaire Lyssenko, fruit du totalitarisme soviétique à l'égard des sciences. Chacun sait qu'à l'époque, on tenait en URSS qu'il y avait «une science bourgeoise et une science prolétarienne», la vraie, bien sûr. Le cardinal n'a jamais manqué d'humour… Voilà donc tout ce que je puis dire sur le rapport de la philosophie et des sciences. Tel serait «le fond de ma pensée» si j'étais certain d'avoir ce que les philosophes appellent «une pensée» et qu'elle eût un fond.

Quel regard le philosophe que vous êtes porte-t-il sur les scientifiques qui vous sont contemporains ?

Je les admire. C'est leur vie qu'ils consacrent à leurs recherches, et quasiment à temps plein. J'en fus du reste témoin : c'était le cas de mon père, qui écrivait des articles impénétrables et que nous avons vu faire des mathématiques jusque sur son lit de mort. Parfois je me dis que le « nul-en-maths » que je fus aura été sa désolation... Encore qu'il regardait la philosophie comme une occasion d'entrevoir l'infini. De même qu'il raffolait des lettres, de la musique. Je pense aussi à mon frère cadet, le physicien. Il a même enrichi d'un corps simple la classification de Mendeleïev – que j'avais déjà du mal à retenir : c'était malin ! Nous en blaguions parfois. Oui, un savant, et d'une telle modestie que je n'ai su qu'après sa mort à quel point il était connu dans le monde. On a d'ailleurs créé un prix national, le prix Jean-Jerphagnon, attribué chaque année à de jeunes chercheurs. Car « il y a, disait le général de Gaulle, des chercheurs qui trouvent », à ses yeux une rareté.

XVIII

De l'anticipation et de la nostalgie

Le progrès semble avoir découvert des univers plus inquiétants que ceux qu'ils ont remplacés. Ce n'est plus que destruction de la faune et de la flore, course au profit au détriment des êtres, explosions en tout genre qui compromettent l'humanité. Finalement, rien de très exaltant...

Il y a seulement un siècle, au temps du scientisme triomphant – et Dieu sait qu'il n'avait pas le triomphe modeste –, on était sûr de soi. On savait. De Renan, on venait de lire *L'Avenir de la science*. Encore une trentaine d'années, et de Freud on lirait *L'Avenir d'une illusion*. Les religions, assiégées, se repliaient sur le culte. La raison et ses objets emplissaient l'espace mental : toute question un peu sérieuse avait reçu ou allait recevoir sa réponse. Cela étant, aurait-on imaginé que, en ce second millénaire, renaîtrait le millénarisme ? Or voilà bien que des prophètes, japonais, américains ou autres, annoncent – et parfois, hélas ! anticipent – la fin du monde.

Il y a peu de temps, dans une grande ville de province où j'avais à faire, un tract illustré m'est venu entre les mains, émanant d'une organisation internationale dont il est charitable et, à vrai dire, prudent de taire le nom. On y annonçait la venue des extraterrestres, ce qui, pour les simples terrestres que nous sommes, était une vraie chance. Il s'agissait, en effet, d'êtres divins, à la cheville desquels – si tant est qu'ils en aient une – nous n'arrivions pas, et qui, à ce que j'ai cru comprendre, apporteraient le renouveau à notre monde au bout du rouleau.

Encore fallait-il recevoir ces gens (quel autre mot ?) dignement : c'était bien la moindre des choses. Aussi cette organisation se disposait-elle à construire « une ambassade pour accueillir officiellement les extraterrestres » (*sic*). Ces visiteurs de haut vol disposeraient, c'est le cas de le dire, d'un pied-à-terre commode. Une photographie de la maquette montrait que tout était pensé, prévu, organisé dans le détail. Le parking m'a toutefois semblé un peu juste, compte tenu du stationnement des ovnis annoncés. Je précise que trois adresses étaient communiquées, dont une en France, à l'intention de qui partagerait ce souci de courtoisie dans les relations intermondiales. J'incline à penser que, une fois établie la liaison avec ce mouvement, les affidés seraient informés dans les meilleurs délais d'un numéro de compte, tant il est vrai, comme disait ce vieil évangéliste prévoyant, qu'avant de louer le Seigneur, il faut louer la salle.

J'aurais penché pour quelque canular, si l'on ne m'avait dit à la réception de l'hôtel que cette société-là y avait tenu ses assises la veille au soir. Dommage : j'aurais aimé plus de précisions sur les moyens de transport, sur la langue dans laquelle on pourrait dialoguer, sur le recrutement, aussi, du corps diplomatique affecté à si prestigieuse légation.

Il est étrange de voir que la fin du monde s'accompagne de mythes finalement anciens...

Oui. Reprenant mes textes médiévaux touchant la venue de l'Antéchrist et le jour du Jugement, j'y retrouve des thèmes communs : le vieillissement du monde – *« Senescit mundus »*, disait au XIIe siècle Honorius d'Autun –, et aussi, en dépit des calculs cent fois refaits parce qu'ils ne tombaient pas juste, l'imminence de la fin des fins, les calamités dont on n'avait que l'avant-goût, etc. Ainsi, depuis des siècles roule le même torrent de terreurs et d'illusions, le même fleuve multiséculaire de fantasmes qu'aucune raison ne suffit à endiguer, que les religions ne réussissent pas toujours à assainir ni à canaliser vers l'essentiel. Certes, les techniques ont progressé : aujourd'hui, l'Antéchrist débarquerait d'une soucoupe volante, et le corps de cavalerie de l'Apocalypse serait motorisé. Bref, je vois bien la descente, les bouleversements, les cataclysmes, mais je ne vois plus les larmes sincères de n'avoir su mieux faire au long d'une vie, et de se voir tout aussi indigne de la joie, bientôt présente, d'un monde enfin bon, et cette fois, pour l'éternité. Des hommes, des femmes, des gens comme vous et moi, en sont aujourd'hui à attendre je ne sais trop quoi pour je ne sais trop quand, mais pour bientôt. Cela fondra sur eux d'un ciel froid peuplé de satellites et de paraboliques. Cela dégringolera d'une machinerie de science-fiction, dernier refuge où l'imagination se love pour échapper au morne quotidien où les dieux ont fini par nous laisser seuls.

Plutôt que vers la science-fiction, on sent que, à la manière de Proust, vous avez été habité par le sentiment de l'écoulement du temps, et de sa nostalgie.

Entre Napoléon III et moi, il y a tout juste un homme : mon arrière-grand-père, qui me narra la rencontre. Il avait vu l'empereur en chair et en os, à Saint-Cloud, tandis que sapeur, il montait la garde, un jour comme un autre de son service militaire. C'est tout bête, mais ce point de tangence avec l'histoire – à l'époque, je ne disais pas cela ainsi ! – a marqué mes huit ans, et du même coup ma vie. Et de fait, jamais l'histoire ne fut pour moi une « matière au programme », dont on se débarrasse aux moindres frais ; un annuaire de dates insipides comme des numéros de téléphone. Ni, venu le moment de m'y former, un simple compendium de techniques. Non, toujours et avant tout, elle fut – comment dire ? – la présence d'une absence, la vie d'un vécu. Enfant, j'étais curieux de mes copains d'autres temps, séparés de Vercingétorix, de Jules César ou du bon roy Henri IV par la seule vie d'un aïeul. Si proches me devenaient leurs souvenirs imaginés que, pour un peu, j'entendais le funèbre bruit des armes jetées aux pieds du Romain par l'Arverne vaincu et sentais le vent gonfler le panache blanc que les soldats trouveraient toujours, c'était promis, juré, sur le chemin de l'honneur. Tout ce que leur racontait – me racontait – leur grand-père, je l'écoutais avec eux. Bref, avant que j'aie bien su le dire, l'histoire, c'était les siècles à portée d'esprit, le passé qui se laisse surprendre, se raconte, la longue vie de l'humanité qui tente de s'expliquer, pour autant qu'on en découvre, à travers ses grandes figures, mais, aussi, à travers M. Tout-le-monde, la vie de chaque jour, sans trop y projeter nos formes et nos normes. J'aurai rêvé, tout au long de ma vie, à ces gens qui n'étaient séparés de Socrate et de Platon, de saint Augustin et d'Ockham, de Descartes et de Kant, que par la frêle vie d'un unique vieux témoin sans qui rien, pour eux, n'eût existé, qu'un présent qui aurait sonné le creux. Inséparable de l'histoire, la philosophie fut pour moi une ronde de présences inventives avant d'être une bibliothèque en expansion. D'où, peut-être, le goût de ce métier qui fut le mien : faire visiter ces cathédrales désaffectées de concepts, y guider quelques curieux, y faire résonner une fois encore l'écho des grandes voix éteintes. Mais parfois, je crois entendre crier : « On ferme ! »

Vous avez publié un livre savoureux : C'était mieux avant. *N'était-ce pas une manière de dire que tout change, sous l'apparence de la décadence, ce qui est le sentiment que toutes les époques ont eu, depuis… toujours…*

Dans le premier quart du siècle dernier, mon père déjà disait que tout se dégradait, et la mine de cet homme de science ne laissait pas présager un mieux dans l'immédiat. Pour ma grand-mère non plus, rien n'allait. Quant à mon arrière-grand-père, celui qui avait vu Napoléon III à Saint-Cloud lors de son service militaire, je l'entends encore assurer que depuis ce temps-là, tout avait fichu le camp. La guerre de 1870 et celle de 14-18 l'avaient conforté dans ses certitudes. Et s'il avait pu seulement entrevoir celle de 39-45, il se serait exclamé comme parfois : « Hein, qu'est-ce que je vous avais dit ? » Bien sûr que les choses changent. Que feraient-elles d'autre, dès lors que le temps les emporte, et nous avec ? Finie la paix du zoo préhominien, finie la sérénité de la vache moyenne regardant passer le train à vapeur. L'expérience du moi emporté par le temps est devenue obsédante depuis que les humains ont trouvé les mots pour la dire puis les techniques pour l'écrire, et donc pour la diffuser dans le temps. Les générations suivantes savent d'emblée de quoi il retourne, perdant ainsi le peu qu'elles avaient gardé d'innocence. On n'apprend jamais trop tôt que les corbillards ne sont pas faits seulement pour les gens d'à côté ; que n'avoir mal nulle part est une aubaine à savourer ; que les tartines tombent normalement du côté du beurre. Ce dernier point pose même problème au-delà de la physique. Un juif de mes amis me disait s'en être ouvert à son rabbin. Ayant médité un instant, ce dernier répondit : « Mon fils, es-tu sûr de tartiner le beurre du bon côté ? » Reste qu'un pessimiste n'a jamais que de bonnes surprises.

Pas facile d'être sage quand tout présent est obsédé par l'avenir. Un avenir dont on entend dire tous les jours qu'il est bouché, en tout cas incertain. Aussi passe-t-on sa vie à anticiper. Se fondant sur tout ce que l'on sait avoir mal tourné, on en conclut que le pire est toujours sûr. Avec un brin de férocité, Machiavel observait : « Il est dans l'ordre des choses que jamais on ne cherche à éviter un inconvénient sans tomber dans un autre. » De cela, j'ai autant de preuves qu'on voudra. Depuis quelque chose comme trois millénaires, tous les auteurs ou presque, et de toutes les époques, ont dit du mal de l'amour, de la famille, de la politique et des politiciens, de la philosophie, de la religion... Lisez donc Homère, Sophocle, Euripide, Sénèque, Dante, Fénelon, Talleyrand, Chateaubriand, Victor Hugo, Mauriac, Cioran..., tous témoins irrécusables de leur siècle. De quoi entreprendre une philosophie du pessimisme à travers les âges. Tous ronchons, bougons et grognons... N'est-il pas attendrissant d'entendre Pétrone soupirer déjà, au Ier siècle de notre ère : « Hélas ! hélas, c'est pire tous les jours... Plus personne ne croit que le ciel est le ciel, personne n'observe le jeûne, personne ne fait cas de Jupiter plus que d'un poil, tout le monde se met des œillères et compte ses sous... » Juvénal de renchérir : « Déjà du temps d'Homère notre race baissait. La terre ne nourrit plus aujourd'hui que des hommes méchants et chétifs. » Et Pline le Jeune de taper sur les jeunes : « Les jeunes sont tout de suite des sages ; dès l'abord ils savent tout ; il n'ont de respect pour personne, ils n'imitent personne, ils sont à eux-mêmes leurs propres modèles. » Je peux au moins avancer une chose, de façon sûre : à dire aujourd'hui que tout va mal, on ne saurait prétendre à l'originalité. De tout cela, il ressort aussi que depuis toujours on regarde les temps révolus comme les plus beaux, les plus heureux, parfois jusqu'à l'absurde. Imbattables en humour, les Espagnols des années 75-80 brocardaient les nostalgiques du Caudillo qui déploraient à leur manière la sécheresse de la saison : « *Bajo Franco, llovia...* » (« Du temps de Franco, il pleuvait... »).

« Entre optimisme et pessimisme, chacun aura donc compris qu'aucune des deux positions extrêmes n'incarne le vrai », dites-vous.

Le pessimisme absolu, sincère un peu, beaucoup, passionnément, le pessimisme à la Cioran, est tout juste une pose. « Celui qui n'est pas mort jeune s'en repentira tôt ou tard ! » grinçait l'auteur du *Précis de décomposition* et des *Syllogismes de l'amertume.* « Imaginez, disait Jean-François Revel, l'humeur d'un Pascal venant d'apprendre qu'il a perdu son pari et vous aurez Cioran. » Mais l'optimisme fervent où tout s'arrange est tout autant une attitude. En vérité, ce qu'expriment tant d'auteurs disparates, poètes, romanciers, philosophes, etc., et sur tous les tons – le désenchantement, la colère, l'amertume, la nostalgie et souvent la résignation –, tout cela revient à une seule considération : le mal ne s'élude pas. Oui, nostalgie. Nostalgie de l'âge d'or, de l'époque des géants. De quoi encore ? Mais du paradis, voyons ! Du paradis perdu. Vladimir Jankélévitch, mon maître, disait : « Un paradis peut-il être autre chose que perdu ? » À chacun le sien. Nous ne verrons pas cela, mais il s'en trouvera bien, quelque jour, pour porter aux nues les charmes du radieux XXe siècle…

XIX

Du malheur

Nous avons parlé de la philosophie, de l'étonnement, de l'amour, de la foi... Mais du malheur, que diriez-vous ? Y en a-t-il une définition universelle ?

Nous aurons parlé de la philosophie tout au long, et ainsi avez-vous pu voir comment je la voyais. Rappelons-nous seulement que, philosophes ou pas, c'est emportés par le temps que nous parlons de l'éternité. Que c'est toujours un particulier qui traite de l'universel. C'est à partir du partiel qu'on évoque la totalité. C'est pris dans le contingent qu'on discute du nécessaire. C'est au sein du relatif qu'on pense à l'absolu. C'est inclus dans le fini que nous posons le concept d'infini, etc. Autant de situations, donc, tenant à ce que nous appelons « la nature humaine », selon l'idée que chacun s'en fait, et qui varie selon les contrées. Tout cela étant, la philosophie, ou ce que les anciens appelaient la sagesse, sera-t-elle jamais autre chose que l'aspiration, sinon à tout savoir de tout – les sciences y ont largement pourvu, chacune selon son objet –, du moins à entrevoir le sens de toutes ces choses, de leur présence ; le sens de notre présence au milieu d'elles ? Une aspiration qu'il est bon de garder notre vie durant et, s'il se peut, de faire naître chez les autres, de partager. Peut-être les aiderons-nous ainsi à être davantage eux-mêmes. Nous les aiderons à exister.

Si j'ai cru bon de revenir sur ce caractère relatif du savoir philosophique, c'était précisément parce que vous évoquiez la possibilité d'une définition universelle du malheur. Que vous dire ? On peut toujours, bien sûr, en proposer une. Toutefois, sans oublier que si les définitions sont utiles dans ce qu'on appelle « les sciences », c'est du fait qu'elles sont universelles parce que abstraites. Il n'en va pas de même quand on s'interroge à propos du vécu, de ce que nous appelons « la vie humaine », « la condition humaine », pour le dire comme Malraux, et dont on cherche – disons : le sens. Or tout ce qui est vécu l'est, l'a été, le sera, par un être unique : vous, moi, Tartemol... Unique dans l'espace et le temps ; unique dans l'histoire de l'humanité. Seul à être soi ou à l'avoir été. Combien de fois l'aurai-je dit ? Il en va ainsi – j'allais dire tout particulièrement – du malheur, comme il en va de l'amour, du bonheur, de la mort, etc. Que de choses aurons-nous vécues dans cet absolu d'unicité, échouant à les définir, trouvant que les définitions qu'on en donne ne nous satisfont qu'à moitié, sinon pas du tout. C'est pourquoi, à propos du malheur, nous partirons des mots, des expressions, des images qui ont cours pour l'évoquer. Alors verrons-nous mieux, ou plutôt moins confusément, sur le trajet de quelle intention de la conscience surgit ce que nous appelons ainsi.

Nous retrouvons là cette méthode phénoménologique qui vous est chère...

Sur ce point, je suis resté fidèle à Kant, jugeant plus prudent de considérer les phénomènes que de légiférer abstraitement sur les noumènes... Vous aurez remarqué que le malheur est tenu pour inévitable, et cela depuis toujours. Voyez ce que dit Euripide dans *L'Enquête* : « Un homme qui du jour de sa naissance n'aurait pas le malheur mêlé à son destin, cela ne s'est jamais vu. » Ovide, dans les *Métamorphoses*, ne dit pas autre chose : « Pas d'homme qu'on puisse dire heureux avant qu'il ait quitté la vie et reçu les honneurs funèbres. » Je pense à cette vieille dame dont parle Valère Maxime : trop heureuse jusque-là, elle estima prudent de mettre fin à ses jours. Pourtant, n'espère-t-on pas toujours, plus ou moins consciemment, une chance, une toute petite chance, d'y échapper ? On n'y croit guère, mais enfin... C'est Talleyrand qui disait que « les choses ne vont jamais ni aussi bien ni aussi mal qu'on le croit ».

Pour inévitable qu'on le considère, le malheur crée toujours un effet de surprise. Les mots, les images expriment bien cette contradiction vécue : un malheur, « cela *arrive* » – mais d'où ? Le malheur « vous *tombe* dessus », d'où l'image de la tuile. Mais de quel toit ? Il vous assène un choc : « C'est *un coup dur* », mais qui vous a frappé ? On voit nettement ici le trop fameux « problème du mal », que je préfère appeler mystère, vous l'avez deviné...

Il faut tenir compte d'autres conséquences du caractère chaque fois individuel du malheur.

Oui. Il est fatalement vécu par un être unique, disions-nous, dont la personnalité est – comment dire ? – plus ou moins bien équipée par nature pour l'affronter et le supporter. On en voit qui s'effondrent, et que le malheur entraîne jusqu'au suicide. Il en est d'autres dont on entend dire : « Depuis, il n'est plus le même ! » En ce sens qu'il fait montre à présent d'une personnalité qu'on ne lui connaissait pas, soit plus fermée sur elle-même, soit plus ouverte aux autres. Certains seront même « plus durs au mal », comme on dit, comme si de ce mal ils avaient été capables de tirer quelque bien. Je me demande si ce ne serait pas mon cas.

Enfin, n'omettons pas de le souligner : ce qui est malheur pour les uns – ruine, déchéance sociale, échec professionnel, etc. – n'est pour d'autres qu'un aléa dont il n'y a pas lieu de faire toute une histoire. De cela, les stoïciens ont parlé mieux que personne, et pas seulement parlé. Et contrairement à ce que beaucoup en pensent, les épicuriens étaient aussi de bon conseil, plus austères qu'on ne les imagine.

Nous voilà mieux placés pour suivre le tracé de cette intention de la conscience sur lequel surgit ce qu'on désigne par le terme général – ô combien ! – de malheur. Le malheur est perçu comme la contradiction qu'oppose ce que faute de mieux on appelle « le destin » à tout ce que chacun investit d'infini dans ses aspirations. Vous espériez la joie et vous avez la peine ; vous désiriez la santé et vous attrapez une maladie qui ne pardonne pas ; vous n'en reveniez pas d'être vivant et voilà bien que s'impose « la si longue nuit qu'il nous faudra dormir », disait Catulle. Et s'il n'était question que de vous... Mais quand il s'agit de qui vous aimez...

Le destin, la fortune, que les Grecs appelaient *tuchè*, un radical que l'on trouve dans l'événement heureux (*eutuchia*) comme dans le coup dur (*atuchèma*), etc. Le destin, la fortune, ce que les Latins appelaient *fatum*. Une abstraction bien commode, dès lors qu'elle résout – ou du moins certains le pensent – le délicat problème de l'origine. Nous en parlions tout à l'heure à propos de la « tuile » dont on voudrait bien savoir de quel toit elle nous est dégringolée dessus. À chacun de mettre ce qu'il pense de mieux ou ce qu'il croit sous ce terme de destin. Ou même d'en contester l'existence : sur ce plan, nulle preuve ne vaut.

Le malheur a-t-il selon vous des formes particulières, que façonnerait l'époque ?

Je dirais plutôt qu'aux malheurs qui depuis toujours atteignent tout être humain dans l'intime de sa conscience unique, vient s'ajouter fatalement – c'est le cas de le dire – le malheur dont la conscience collective se voit frappée. Et là, on devine que tout dépend pour chacun de la présence en sa conscience individuelle de la conscience collective en laquelle il s'inscrit nécessairement. L'Histoire le montre : à chaque époque ses malheurs, et l'idée qu'on s'en fait. Ainsi des famines, qui si souvent déciment les populations antiques et médiévales. Ou encore la peste : on se rappelle celle d'Athènes en 430, où avec Périclès disparut plus du quart des habitants. Ou celle qui sévit férocement en Europe au milieu du XIVe siècle, où périt, selon les plus sûres estimations, entre la moitié et les deux tiers de la population. On a un écho de l'ambiance dans *Le Décaméron* de Boccace. Quoi encore ? Les guerres, bien sûr, et j'en sais quelque chose. Sans même parler des guerres civiles, ces déferlements périodiques de haine entre ces gens si disparates qu'on appelle des concitoyens.

À tout cela, chaque époque a réagi à sa façon. De tout

temps les cultes ont tenté de détourner ou d'atténuer l'ire supposée des dieux, qu'on n'osait tenir pour étrangers à ces calamités. On devine que tout dépend ici du degré de cette présence qu'a de la conscience collective la conscience de tout un chacun. Quant à notre époque, ceux qui viendront après nous seront mieux placés que moi pour discerner ce qui pourrait avoir été son malheur.

S'il me fallait absolument définir le malheur de l'époque présente, je serais tenté de dire : c'est de croire que le bonheur lui est dû. Le bonheur au sens où on l'entend, bien sûr : l'argent, le... sexe, puisqu'on localise l'amour, et le maximum de loisirs. Bref, le malheur de notre temps est de s'être fait une trop courte idée du bonheur. Dans une telle perspective, la moindre contrariété prend les dimensions du malheur. Du malheur qu'on regarde avec rage comme injustice. Alors que le Journal de 20 heures fait état d'un génocide, d'un tsunami, d'un séisme, d'une épidémie...

Quelle part le malheur a-t-il selon vous dans l'expression philosophique ?

S'il n'avait de part que dans ce qu'ont dit les philosophes... Mais le malheur est partout présent dans la littérature. Et cela depuis Homère, selon qui dans l'*Iliade* « rien n'est plus misérable que l'homme entre tous les êtres qui marchent sur la terre ». De même

Sophocle dans *Œdipe à Colone*, estimant que « Ne pas naître vaut mieux que tout, sinon s'en retourner au plus vite d'où l'on est venu ». Qui, encore ? Lucrèce dans le *De natura rerum* : « Dans quelles ténèbres, dans quels dangers s'écoulent ce peu d'instants qu'est la vie ! » Me revient aussi ce vers de l'*Énéide* qui m'avait ému dès le temps du lycée. Virgile y montre Énée de passage aux Enfers pour y consulter son père. Il n'en revient pas de voir toutes ces âmes qui se bousculent pour traverser le Léthé, le fleuve de l'Oubli, et repartir pour un tour parmi les vivants : « *Quae lucis miseris tam dira cupido...* Quel cruel désir d'une aussi misérable lumière... » Et je pourrais vous en énumérer d'autres, et de tous les temps.

Rien de surprenant, dès lors, si les philosophes ont parlé du malheur, tentant d'en dévoiler le pourquoi et le comment : tous ont là-dessus leur idée, et il nous faudrait des pages et des pages pour citer ce qu'ils disent du « problème du mal ». S'ils en avaient trouvé la solution, cela se saurait. En revanche, il n'est pas sans intérêt de remarquer que beaucoup se sont attachés à instruire leurs lecteurs des moyens, sinon d'échapper au malheur, ce qui ne se peut, du moins « de faire avec » : le supporter du mieux qu'on le peut. L'idéal étant de le tenir pour négligeable, tant l'âme serait aguerrie. Et si le bonheur, finalement, consistait en cela ? Ce serait à se le demander, en les voyant tous d'accord sur ce point... Voyez ce que Sénèque écrit à Lucilius : « C'est sûr : sous prétexte qu'on sera malheureux un jour, quelle folie d'aller se rendre malheureux dès maintenant ! » Oui, « *Ne sis miser ante tempus* »... Et ce que dira Épictète un demi-siècle plus tard dans son *Manuel* : « Il y a les choses qui dépendent de nous, et celles qui n'en dépendent pas. » C'est donc notre regard sur les choses qu'il nous faut changer, et les prendre comme elles viennent. Le Livre de Job nous y aiderait, le carnet de Marc Aurèle aussi.

Mais de cette nature absolument unique de tout être humain dans le temps et dans l'éternité, de son intimité, de ses relations avec les autres tout autant uniques, je viens à me demander si le monde actuel n'en aurait pas perdu conscience, et si ce ne serait pas un des malheurs de ce temps ?

Unicus inter pares, disions-nous tout à l'heure ; seul à être soi parmi l'infinité de ceux qui le sont aussi, encore qu'autrement. Or, dans notre « meilleur des mondes » à nous, pour dire cela comme Huxley, c'est la vie collective qui a pris le dessus. La conscience collective prime la conscience individuelle. Est-ce un bien ? Est-ce un mal ? C'est un fait.

Un fait qui comme tous les faits a ses causes et ses conséquences. Entre les causes, je verrais le progrès des transports : les lointains sont devenus proches, dont rêvait le Marius de Pagnol voyant *La Malaisie* à quai dans le port de Marseille. Ou comme j'en rêvais moi-même dans le Bordeaux de Mauriac, ces soirs où de mon lit j'entendais les trois coups de sirène du *Massilia* en partance pour Buenos Aires. On passait alors les vacances scolaires chez quelque grand-mère, en des patelins aux volets clos. On les passe aujourd'hui au bout du monde : une bonne nuit d'avion et vous y êtes. Il faudra trouver ailleurs de quoi rêver. Au reste, rêve-t-on encore, en des temps où le moi unique se dilue dans un tout-le-monde qui de tout a tout vu, ou le verra sous peu ?

Mais il y a surtout l'incroyable prolifération des moyens de communication, grâce à quoi chacun est partout sans mettre le nez dehors.

Certes, les rues sont parcourues de gens téléphonant, et qui tout à l'heure regarderont sur un écran les victimes d'un séisme survenu en un endroit qu'ils seraient bien en peine de situer sur une carte, puis entendront comme venant de la pièce à côté les bombes tomber sur une ville d'Orient. À moins qu'on ne leur dise avant tout cela que la jolie Julie Tartemol voyage entre deux films avec le secrétaire d'État aux Affaires sans suite. Les magazines *people* ne laisseront rien ignorer de ce que de mon temps on aurait appelé « leur vie privée ». Tout cela, bien sûr, entre deux publicités vantant un papiertoilettes exceptionnel ou un délectable fromage chanté par de faux moines hilares. Autant d'informations disparates qui se déversent au quotidien dans la subjectivité de chacun et de tout le monde à la fois.

Et puis, bien sûr, l'omniprésence de l'informatique. Vous pouvez converser dans l'instant, tout le jour si le cœur vous en dit, avec la dame du dessus ou avec une personne habitant la Patagonie. Ah ! Si Trajan avait pu correspondre ainsi depuis Rome avec Pline le Jeune, alors gouverneur en Bithynie, sur les bords de la mer Noire... Mais voilà, nous n'aurions point sur nos rayons ce paquet de lettres qui tant nous en apprend sur l'époque. Toujours avec votre ordinateur, vous pouvez tout aussi bien vous assurer une place dans le train de 8 h 47 pour Vierzon, et sans plus d'efforts, faire le plein en histoire sur le gnosticisme. Une question qui vous tracasse, car elle figure au programme d'un examen qui se tient après-demain, et dont vous ne savez pas un traître mot. Cela, on l'entend dire plus d'une fois. Très bien, extraordinaire progrès de la documentation. Mais est-il sans contrepartie ?

De ce tourbillon de présences immédiates et qui s'imposent à chacun, les effets ont à mon sens un aspect préoccupant. C'est la conscience collective qui prend le pas sur l'individuelle, le « nous » sur le « je ». Au point que chez de plus en plus de gens, le « je » ne sait ni même ne veut être – disons : original – qu'à la façon précise dont on prétend l'être dans certains groupes de la société. Dans une telle vision des choses, on serait donc « davantage soi-même » si on parvenait à l'être « comme les autres », du moins comme ces autres-là. Passons sur la mode, qui de cela fournirait des exemples à discrétion. Considérons plutôt les manières, les façons de s'exprimer, de vivre au quotidien, voire de penser, si l'on peut dire. Et d'accomplir ce qui est censé vous promouvoir aux yeux d'un environnement dont on se croit observé, jugé, noté. Quant à « penser par soi-même », l'idéologie y pourvoit, fournissant à tous et à chacun de quoi s'affirmer : jouir, s'indigner, au besoin s'insurger... Dans cette optique, on ne sera jamais mieux « soi-même » qu'au sein de la tribu des « Yaknouki » : « *Il n'y a que nous qui savons penser, dire, rire, agir, etc.* »

Ainsi s'est diluée dans le « nous autres » la conscience du caractère absolu de tout « je » unique dans le temps et dans l'éternité. L'a remplacé un *ego* surdimensionné, un « je » qui s'enfle au maximum de ce qu'il y a de plus banal dans telle couche de la société. C'est là ce que je réponds à cette partie de votre question, où vous évoquez la possibilité de voir un malheur – ou le malheur – de notre époque dans la disparition de l'intime. De fait, l'évanescence progressive de cette dimension d'absolu qu'avait la conscience de l'ipséité, la sienne propre, celle de tous les autres, fait que le respect de toute personne en son intimité est en voie de se perdre, s'il ne s'est déjà perdu pour beaucoup, ce que je suis enclin à penser. De nos jours, tout s'étale : les amours, bien sûr, les haines, les bassesses. Oui, l'absolu de l'intime s'en est allé, laissant le champ libre à un exhibitionnisme qui de plus, pour beaucoup, va de soi. Vous devinez à quel point je le déplore, moi qui tiens la discrétion pour une vertu.

En tant qu'historien, comment pouvez-vous interdire comme secrets ces territoires intimes ? N'est-ce pas antinomique avec la découverte de la vérité, du moins de la vérité historique ?

Certes, historien, je le suis, disons : de la pensée, et peu me chaut de savoir si, comme en courait le bruit, Marc Aurèle était cocu, et avec un gladiateur. Il n'en a rien noté dans ses carnets intimes, intitulés *Ta eis eauton*, « Ses affaires à lui ». Et s'il l'avait été, cela n'ajouterait rien à ce qu'on trouve là de précieux, ni n'en retirerait quoi que ce soit. Ce qui nous importe de Marc Aurèle se situe sur un autre plan.

S'il y avait coïncidence entre « la vérité historique » et l'exhaustif de l'intimité, l'historien devrait approfondir bien des questions. De quoi était meublé le poêle de Descartes ? Quel temps faisait-il cette nuit du 23 novembre, où Pascal éprouva la fameuse expérience mystique dont il garda le récit cousu dans la doublure de son vêtement ? Mais qu'apporteraient ces détails à notre compréhension du *Discours de la méthode* ou des *Pensées* ?

Savoir que Descartes couchait avec sa bonne n'a éclairé en rien ma lecture de sa correspondance avec le père Mersenne, où il est question, un 15 avril 1630, de la libre création des vérités éternelles. Abandonnons à l'indifférence « les indifférents », comme auraient dit de ces choses les stoïciens. De la vie privée de la personne, laissons s'occuper de son vivant les magazines, les détectives privés ou les espions, et après son trépas les petits curieux. Et concentrons nos efforts sur les textes, ainsi aurons-nous enrichi notre ipséité, et respecté celui à qui nous devons ce progrès.

S'il vous était demandé de tout raconter de votre vie en vue d'une biographie « à l'américaine », révélant jour par jour, heure par heure, votre existence, afin de constituer un matériau scientifique ou philosophique, accepteriez-vous ? Ou sinon, comment justifieriez-vous votre refus ?

Me connaissant, vous aurez deviné ma réponse, et sur quoi elle se fonde. D'abord, je n'aime pas parler de moi. Ce n'est pas une vertu, ni du reste un défaut : c'est un fait. Et je ne suis pas le seul. Ainsi le défunt Jean Ferrat, que cite Daniel Pantchenko dans sa biographie : « Je trouve, dit-il, que ce n'est pas utile. Moi, mon métier, c'est de faire des chansons ; alors je trouve que ça n'intéresse personne si je vais jouer au poker ou à la pétanque. Ce n'est pas très indispensable ! » J'ajoute que je n'aime pas davantage être photographié, filmé... Là encore, je ne suis pas le seul. Dans sa *Vie de Plotin*, Porphyre dit que son maître refusait qu'on fît de lui quelque portrait. Conscient plus qu'aucun autre de ce qu'a de fugace toute vie, à quoi bon tenter d'éterniser d'un portrait, d'une statue, ce qui est déjà bien avancé dans la dissolution ?

De moi, j'ai du reste assez parlé ici, du moins de mon « vécu philosophique », de mes étonnements, de telle expérience dont je mesurais l'importance. L'importance philosophique, bien sûr, et je m'étais dit : « Et si cela était utile à tel ou tel ? » Rappelez-vous ce que je disais de ma rencontre avec le *Traité des vertus* de Jankélévitch. Alors, si mon lecteur allait trouver dans ce que je raconte de quoi s'affirmer en tant qu'ipséité ? Ce serait déjà trop beau !

Non que je me donne en exemple, que je me pose en modèle ! Par tous les dieux ! Tout, mais pas cela... Mon rêve – et mon espoir –, ce serait que ce que j'ai pu dire ici – et grâce à vous – ait rendu plus libre un esprit. Plus ouverte une âme, si j'ose dire, et ainsi plus heureuse. Pour ce qui me regarde, ce fut le long chemin d'une ipséité seule à être elle-même pour le temps et pour l'éternité, et cela au milieu de milliards de milliards d'autres ipséités tout autant uniques et éternelles, chacune à sa façon.

Aussi serais-je tenté de finir sur ce message que laisse saint Augustin à son lecteur dans son *De Trinitate*, où il montre que sur le plan de la foi, la raison fait tout juste ce qu'elle peut. « Ainsi, que mon lecteur me suive quand il partage ma certitude ; qu'il cherche avec moi quand il partage mon hésitation ; qu'il revienne à moi quand il reconnaît son erreur ; quand il reconnaît la mienne, qu'il me rappelle à lui. » Et Augustin ajoute : « Ainsi avancerons-nous ensemble sur le chemin de l'amour, nous rapprochant de Celui dont il est dit : Cherchez toujours son visage. » C'était dire qu'en ce qui concerne l'idée qu'on se fait de Dieu, le savoir se confond avec la seule espérance.

XX

De la mort

La mort est au fond de la conscience. Est-elle un sujet pour vous ?

« À mon âge, comme disait le pauvre cardinal Marty, l'on connaît plus de monde au ciel que sur la terre. » Cette foule vous accompagne comme d'un murmure où chaque voix, selon les heures, se détache et se fait reconnaître, avec ses intonations, son accent. Le seul désastre est bien la mort des autres, pas la nôtre, sauf qu'elle sera pour d'autres, nous partis, la mort d'un autre. De cela je m'assurais encore en relisant un recueil d'inscriptions funéraires de mes chers Romains. Ainsi, tel aurait voulu retrouver au moins en songe l'épouse disparue, et tel autre n'attendait que l'occasion pour rejoindre dans l'au-delà son enfant perdue. Un esclave ne se consolait point de n'avoir su dire à son maître combien il l'admirait, et un maître pleurait un bambin de cinq ans, son esclave. Il y a aussi ce veuf qui voyait enfin venir l'heure des éternelles retrouvailles : « Prépare le logement : nos corps qui se chérissent vont s'unir de nouveau pour nos noces, et cette fois, elles seront sans fin. »

Quand il s'agit de soi, le ton est assez différent : « Passant, les os d'un défunt t'en prient : ne viens pas pisser sur ma tombe. Et si tu es gentil, prépare le vin, bois un coup, et passe-m'en donc ! » Ou, dit un autre, plutôt soulagé d'en avoir fini : « Je n'ai plus la hantise d'une soudaine fringale, je ne sens plus ma goutte, je n'ai plus à penser au loyer, me voilà logé gratuitement pour toujours. » Je laisse les innombrables épitaphes épicuriennes : « Il fut un temps où je n'étais pas – J'ai été – Je ne suis plus – Et je m'en... moque. » Formule dont on gravait parfois les seules initiales. Tout cela apportait sans doute une certaine paix en un monde où, de la mort, on espérait tout au plus un absolu de tranquillité, un sommeil que rien désormais ne viendrait interrompre. On dormirait sa mort.

L'image du sommeil, de l'éternel repos, restera dans l'imaginaire chrétien, sommeil hanté toutefois de cauchemars infernaux. Et interrompu par la trompette du Jugement dernier, qui en fera sursauter plus d'un. Les images, aujourd'hui, sont plus sobres, et bien rares sont ceux qui les prennent au premier degré. Les chaudières ancien modèle de l'enfer se sont éteintes, comme les hauts-fourneaux des aciéries désaffectées, et les diables à gueule patibulaire rotant la haine se rencontrent plutôt sur la terre. L'au-delà devrait être beau si, comme dit l'apôtre Jean, Dieu est amour. Et même pour ceux qui ne croiraient pas à sa parole, il y aurait toujours la foi des autres, l'expérience des croyants, qui demeure comme un témoignage, à tout le moins comme une nostalgie. François Mauriac, tout croyant qu'il était, fut hanté sa vie durant par la mort. Son fils Claude rapporte ainsi que, un jour, il avait dit à ses enfants : « S'il n'y a rien après la mort, nous ne le saurons de toute façon pas... »

Dans un livre comme celui-ci, où en tant qu'historien de la philosophie vous avez dit ce que vous pensez de bien des choses, comment ne pas vous demander ce qu'il en est, pour vous, de la mort ?

Jean d'Ormesson l'a si bien dit : « La grande affaire de la vie, c'est la mort. » Et je m'en doutais : pas plus qu'à la mort, je n'échapperais à la question ! Une question à laquelle ni vous, ni moi, ni personne n'avons de réponse. Juste des mots. On en a toujours parlé, on en parle, on en parlera. Sans doute est-ce pour exorciser nos peurs, ou pour partager plus largement ce qu'on en a pu lire ici ou là, ou en entendre dire de consolant, peut-être de rassurant. Trois fois rien, bien sûr, mais un rien qui pourrait aider ceux qui en auraient moins encore en tête ou au cœur. En tout cas, une chose est sûre – c'est même la seule : nul n'y échappe, à croire qu'on ne viendrait au monde que pour cela. Sur les trottoirs, dans les parkings, les maisons de retraite, les écoles maternelles se bousculent des condamnés à mort en sursis. On ne voit même que cela. Des corbillards aussi, et des marbriers. Et ce que je suis en train de dire là n'a vraiment rien d'original. J'ai sous les yeux une dédicace écrite à l'encre bleue de la main de Vladimir Jankélévitch, sur la première page de son livre sur *La Mort* qu'il m'offrait ce jour-là : « Après tout, la mort est la banalité suprême. » Les grands esprits se rencontrent, Maurice Druon l'a écrit : « Rien n'est plus banal que de mourir. » Et là-dessus, nous sommes bien d'accord.

Pourtant, comme le dit la reine Marie dans *Le roi se meurt* de Ionesco, « Tout le monde est le premier à mourir ». Selon Mauriac, on meurt toujours seul, car on n'entre dans la mort qu'un par un. Et à cet instant-là, qu'il s'agisse d'un roi, d'un clochard, d'un pape, d'un génie, d'un fou, c'est une ipséité unique dans l'éternité qui s'efface du temps. On l'oubliera plus ou moins vite, mais rien ne pourra faire que cette femme, cet homme, n'ait pas été. C'est notre côté éternel. De celui-là, du moins, on est sûr. Peut-être y en a-t-il quelque autre : sait-on jamais ?

Telle est donc la vie de chacun de nous : une inexplicable apparition dans le temps, où dès le premier instant, on s'en va vers son dernier matin. Une suite de soupirs dont le dernier est dès le berceau programmé. Schopenhauer l'affirme et Jankélévitch le confirme on ne peut plus clairement : « La mort est la seule situation absolument véridique et crûment authentique de notre destin. » Mais qu'il n'est pas aisé d'admettre : « Hélas ! se désole Anna de Noailles, je ne suis pas faite pour être morte ! » Encore est-ce pire s'il s'agit d'un être aimé. J'ai toujours en tête cette épitaphe latine sur la tombe d'une gamine trop tôt disparue : « Pourquoi es-tu venue, toi qui aurais été si jolie, dès lors que ton sort était de t'en retourner si vite là d'où tu étais venue vers nous ? » Au reste, ne l'ai-je pas déjà citée ?

Qui nous expliquera que tant de milliards d'êtres soient de passage en ce monde, s'empressant d'ailleurs d'y laisser d'autres condamnés à mort ? « Trois petits tours et puis s'en vont », dit la chanson. Et, scandale des scandales, ils le savent, alors que leur chat, promis au même destin, est de ce point de vue autrement tranquille ! Insondable absurdité de l'humaine condition. On se doute qu'elle fut pour beaucoup dans l'apparition des mythes, éclairant d'un espoir la conscience des premières sociétés humaines : « Seigneur, on dirait que tu as créé les hommes pour les envoyer au néant... » Ne fallait-il pas à tout cela imaginer un commencement de justification ? Donc, sur la mort je n'en dirai pas plus, m'en tenant à la prudence de mes chers Grecs et Romains. Au reste, de moi, qu'attendrait-on d'autre ?

Comme Pierre Hadot, vous regardez « la philosophie comme manière de vivre ». Mais aussi bien de mourir.

Telle est la condition des humains en un monde dont la seule présence – l'aurai-je assez dit ? – m'est toujours insolite. S'en étonnera-t-on ? Le premier conseil que nous donnent les sages, et cela depuis Pindare, quelque cinq siècles avant notre ère, c'est de bien vouloir nous y faire. Nos jours sont comptés. Et donc, « Ne va pas, ô mon âme, aspirer à une vie sans fin » : c'est l'apanage des dieux qu'une journée qui n'aurait pas de crépuscule. Dans les mêmes temps, Eschyle dans *Les Sept contre Thèbes* évoque « l'obscur rivage qui nous attend tous ». Même image dans Horace, pourtant si drôle d'ordinaire : « La même nuit nous attend tous, et il nous faut arpenter une fois le sentier de la mort. » Et Virgile, dans l'*Énéide*, n'a pas dit autre chose : « Chacun a son jour marqué ; pour tout le monde brève est la durée de la vie, et sans retour. » Le thème rémanent de la *vita brevis* : rien là de neuf.

Puisqu'il faut bien en passer par là, comment se faire à l'inéluctable, le vivre au jour le jour aussi sereinement que possible ?

Sur ce second point, les différentes écoles avaient leur avis. On n'avait que l'embarras du choix. Aujourd'hui encore, il y a, me semble-t-il, quelque bien à tirer de ce qui s'est dit. Car – faut-il le rappeler ? – on meurt encore et toujours, et cela n'est pas plus drôle aujourd'hui qu'alors. Pour Socrate et ses disciples les platoniciens, l'homme qui toute sa vie aura aspiré au Bien en soi, principe et fin de tout en ce monde et des âmes qui y sont de passage, n'a rien à redouter du trépas. Brille en effet en son âme cette bienheureuse espérance – *euelpis* – plus d'une fois invoquée, notamment dans la *République* et le *Phédon* : vivre éternellement en compagnie des dieux. Plus tard, quand viendront les temps hellénistiques, le temps des empires, stoïciens, épicuriens, cyniques, sceptiques, etc., auront sur la mort et l'éventuelle après-mort d'autres idées. Pour les stoïciens, nous sommes dans le meilleur des mondes : c'est de toute éternité que le *kosmos* est rationnellement organisé pour le bien des hommes. Le bonheur, qui coïncide avec la vertu, consiste donc à adhérer du mieux qu'on peut à son propre destin, se gardant notamment de redouter quoi que ce soit de la mort. Plus d'un texte a montré que le stoïcien sait mourir avec élégance, puisqu'il achève ainsi de se réaliser, image comprise. Il faut relire Tacite. Pour les épicuriens, dont Paul Veyne a malicieusement dit – mais fort justement – qu'« ils faisaient dériver la morale d'un égoïsme bien compris », pas de souci de ce côté. L'univers, hommes et dieux inclus, étant fait d'atomes qui s'agrègent pour un temps dans le vide, de quoi aurait-on peur ? Tant que je suis là, la mort n'y est pas, et quand la mort est là, c'est moi qui n'y suis plus. D'où ces épitaphes si répandues qu'on n'en gravait parfois que les initiales : *NON FUI – FUI – NON SUM – NON CURO* ; moralité : *Carpe diem*.

Le plus stupide serait évidemment d'aller mourir par peur de la mort. Démocrite, déjà, soulignait ce qu'avait d'ironique la situation : « Les gens qui fuient la mort lui courent après. » Et Platon, Épicure, Lucrèce, Sénèque, Martial, Pline le Jeune, Plutarque en sont bien d'accord. « *Timore mortis mori* », écrit Sénèque à l'ami Lucilius. Le plus drôle étant qu'aux yeux de plus d'un, la mort peut avoir des avantages. Au VIe siècle avant notre ère, Théognis de Mégare disait : « Mieux vaut pour l'homme n'être point né ; et s'il est né, de rentrer au plus tôt dans la nuit. » Huit cents ans plus tard, dans son *Onirocriticon*, sa *Clef des songes*, Artémidore écrit : « Seul est tout à fait heureux celui qui n'a aucune part au malheur. Or tel est celui qui est mort. » Et s'il me fallait finir sur un moderne, c'est Montherlant que je citerais, quand Cisneros dit dans *Le Cardinal d'Espagne* : « Qu'on ne m'ennuie pas avec ma mort. J'ai autre chose à faire qu'à mourir. J'ai des affaires à régler. »

Vous avez évoqué « l'après-mort », et cependant vous n'en dites rien ?

... ni n'en dirai quoi que ce soit, d'affirmatif ou de négatif. Cela pour une bonne raison : je n'en *sais* rien.

« Que savons-nous d'une autre vie ? » se demandait déjà Euripide, il y a de cela vingt-cinq siècles. Dieu sait pourtant ce qu'on a pu en dire au long des âges, de ces grandes vacances posthumes. J'évoquais dernièrement dans un périodique ces visites guidées des enfers : Homère, Hésiode, Eschyle, Sophocle, Aristophane – qui a le mérite de nous en faire rire –, Platon, Pythagore, Virgile, et d'autres encore. À tout cela, du reste, on croyait plus ou moins. Demandez à Juvénal, qui ne voyait plus que quelques gamins et les vieilles dames pour y croire. Quant à moi, je dirai juste un mot de ce qui me reste d'espérance, et qui m'est plus précieux que n'importe quel savoir.

Je l'ai dit et redit, depuis cette intuition de mes quatre ans, plus rien du monde ne me paraissait naturel, du moins pour peu que je me prenne à y penser. Deux ans plus tard, ma jeune mère nous quittait, emportée par un mal alors incurable. Elle à qui je devais la vie m'apprit la mort ce matin-là. Une longue suite de décès dont on ne me cacha rien confirma mon expérience. Ainsi ai-je su dès l'âge de six ans que j'étais éphémère, et de même les passants dans la rue, les copains à l'école, les gens dans le tramway, les généraux, les ministres dont parlait le journal. Tout le monde. Une expérience de plus, qui n'avait fait que renforcer l'autre, de cette « contingence du monde » que je ne saurais désigner ainsi que plus tard. C'était à n'y rien comprendre.

Or les enfants grandissent. La raison s'installe ; « les grands » la meublent utilement en classe, et l'on se met à « penser par soi-même », expression qui m'a toujours paru exagérée. Mais si ce qu'on m'apprenait me permettait d'y voir plus clair quant au « comment » des choses – cela d'autant mieux que j'étais d'une famille de « scientifiques » –, c'était le même désarroi quant au « pourquoi ». C'était, c'est toujours, « en profondeur » que la présence du monde et la mienne dans le monde m'étaient incompréhensibles. Je m'en agaçai longtemps, m'entêtant à chercher une explication à ce que je saurais un jour n'en pas avoir. Pas plus malin qu'un autre, il me faudrait moi aussi en passer par « le problème du mal », par « le Grand Horloger » et le tremblement de terre de Lisbonne qui posait à Voltaire la question de son efficacité à régler la pendule cosmique, etc. Défilèrent dans ma tête les systèmes philosophiques de l'époque, chacun, bien sûr, s'imposant comme le seul vrai. Puis, je l'ai dit, ce furent Plotin et ses lointains disciples, Bergson et Jankélévitch. J'avais enfin compris que du point de vue qui avait été trop longtemps le mien, il n'y avait rien à comprendre au sens où on l'entend dans les sciences, si précieuses soit-elles par leurs applications.

Mais nous parlions de la mort et de l'après-mort.

Dans *L'Apologie de Socrate*, Platon dit que de la mort, il n'y a rien à savoir. Commentant ce tableau de Domenico Fetti où l'on voit un sage méditant sur une tête de mort, là, sous ses yeux, Jankélévitch dit de même, mais à sa manière bien à lui : « Cette tête de sage reste aussi vide que le crâne sur lequel elle médite. » Grâce à lui, j'avais intériorisé le fait qu'il y a – disons – des réalités qui ne se conceptualisent pas, car elles ne « tiennent pas » dans l'exiguïté de nos concepts : l'ipséité unique dans l'éternité, l'ineffaçable fait qu'elle ait été. Ainsi, « Il n'est pas certain que l'homme soit immortel, mais il n'est pas certain non plus qu'il ne le soit pas » et, de ce point de vue, « la mort et l'immortalité sont aussi incompréhensibles l'une que l'autre », tout autant que le fait qu'il y ait un monde où chacun est et aura été le seul à être lui. Comme aura été un instant et toujours la *Valse des adieux* de Chopin, la *Symphonie en « ré » mineur* de Franck, *Le Lac des cygnes* de Tchaïkovski. Tout cela venu de rien, s'en allant vers rien ? Tout cela pour rien ? « Aussi n'est-il pas exagéré, selon Jankélévitch, de dire que l'inintelligibilité du néant est notre plus grande chance ; notre mystérieuse chance. Alternativement l'absurdité des deux incompréhensibles réveille l'inquiétude dans l'espoir, ranime l'espoir dans l'inquiétude. »

Rendu là et ne pouvant mieux dire, c'est un texte, *Des dieux et du monde*, de Saloustios, un haut fonctionnaire romain, qui me vient à l'esprit, qui devance de quelque treize siècles le « pari de Pascal » : « Les âmes qui ont vécu selon la vertu, heureuses entre autres choses de leur séparation d'avec l'âme irrationnelle et purifiées de tout corps, communient avec les dieux et administrent avec eux l'ensemble du monde. Cependant, même si rien de tel ne leur advenait, la vertu elle-même, le plaisir et la gloire venant de la vertu, la vie affranchie de la peine et de la servitude suffiraient à rendre heureux ceux qui ont choisi de vivre selon la vertu et qui l'ont pu. » Me vient un autre texte à l'esprit ; on le trouve dans l'Évangile selon saint Luc ; désemparés ce soir-là, les disciples d'Emmaüs avaient soudain entrevu l'impensable, et dans l'instant ils s'étaient pris à le vivre : tout était pareil, et pourtant plus rien ne l'était. C'est déjà trop beau d'espérer. Et ils lui dirent : « Reste avec nous, Seigneur, car il se fait tard. »

XXI

De l'éternité et de Dieu

En tant que philosophe et historien, vous n'avez cessé de méditer sur les rapports entre le temps et l'éternité.

On jurerait que les années passant, j'ai fini par me prendre au sérieux. Non, là-dessus je suis le premier à pouvoir me rassurer. Simplement, je songeais à ce mot que répétait Mitterrand : « Il faut donner du temps au temps. » Au fait, c'est un vieux proverbe espagnol : *Dar tiempo al tiempo*. Cela pouvait s'entendre comme une vérité première, du genre « Paris ne s'est pas fait en un jour », ou encore « La queue du chat est bien venue sans qu'on la tire », et beaucoup ont dû en rester là, mais lui, c'est moins sûr. Intrigué comme il l'était par les « forces de l'esprit », par les rapports du temps et de l'éternité, il aura su que ce temps donné au temps est, dans chacun de ses instants, tangent à l'éternel. Les Anciens en parlaient plus souvent que nous ; l'éternité leur était présente comme l'est un horizon. Le temps, pour Platon, était « l'image mobile de l'éternité immobile ». Et l'Ecclésiaste écrit : « Dieu a mis la pensée de l'éternité dans le cœur des hommes, pour incapables qu'ils soient d'embrasser l'œuvre de Dieu du commencement jusqu'à la fin. »

Ainsi, l'éternité est bien là, et si chaque instant de notre présent s'y inscrit, nous n'en avons pourtant que ce goût de trop peu. L'éternité, on la devine dans le présent qui la cache sitôt aperçue. On la pressent dans le cortège des printemps et des automnes, des folles générosités des vingt ans, suivies des sincérités successives que la mémoire vous ressert, parfois, bout à bout. Et défilent les modes qui font fureur, les grandes espérances fourbues et les longs silences où s'ensevelit le déjà-vu. Souvenir après désir, désir après souvenir : de l'éternité, on sait tout juste ce que laisse entrevoir le temps qui passe.

Vous le dites en toute clarté : « C'est bien pourquoi il ne peut y avoir – du moins, je le pense – de "philosophie éternelle", comme on dit parfois pour faire grand, mais tout juste une suite de philosophies datées, qui toutes ont prétendu valoir pour l'éternité – alors que de l'éternité, elles étaient un éclat, un éclair, une pépite. »

Il n'y a pas d'« homme éternel » ; il y a seulement des hommes datés.

Raison pour laquelle à la philosophie de l'histoire, j'ai toujours préféré l'histoire de la philosophie. Celle-ci décrit tant bien que mal le buissonnement des pensées à travers les âges. Elle fouille, dégage la pépite de la gangue temporelle. Cela reste humain. Celle-là embrasse l'histoire, de l'alpha jusqu'à l'oméga ; elle assigne au monde, à l'humanité, un itinéraire dans l'absolu. Du coup, c'est divin, inspiré, ou simplement culotté, et un jour, cela datera. À pareils exercices, je ne me suis pas risqué. Prudence, à la façon des Grecs ? Pour eux, s'élever au-dessus de l'humaine condition, souffler plus haut qu'on a l'esprit, était passible d'une contravention salée, payable à Némésis, la « contractuelle » des dieux, et comme eux je pense que c'est bien fait. Agnosticisme foncier, de qui a tôt mesuré les limites du connaître, et qui se défie des enfilades de mots suppléant à l'expérience des choses ? Oui, sûrement. Conscience de mon territoire, à la façon des chiens et des chats, qui savent le risque encouru à outrepasser les frontières ? Oh ! que oui… Question de formation enfin, j'allais dire : de dressage. Défiance des extrapolations, des sauts dans l'inconnu, des « horizons qui prouvent tout », disait Jules Romains, du moins sur le moment. Comme Marc Aurèle, j'en rends grâce à mes maîtres. Je ne suis pas un intellectuel, comme on dit aujourd'hui, et les clans m'indiffèrent. En bref, le goût de l'éternité m'a préservé de « faire dans l'éternel » et de délivrer des oracles : autant de gagné pour tout le monde. Il y a trop à faire.

Il faut donner du temps au temps – je dirais même qu'il n'est que temps, l'éternité est déjà commencée.

Ce propos délibéré du silence qui est le vôtre, à l'instar des mystiques, quand il est question d'une transcendance, cet apophatisme, donc, fait qu'on hésite à demander ce qu'il en est pour vous de Dieu...

Dieu... En aura-t-on dit sur lui ! Intarissables philosophes ! Les uns énumèrent les preuves de son existence, les autres vous garantissent qu'il n'a jamais existé. Certains, même, font part de son décès. Incollables théologiens aussi, qui créent Dieu à leur image. Il me revient un passage de Georges Gusdorf dans son autobiographie, rappelant la docte leçon qu'il avait entendue de l'un d'eux à propos du dogme de la Trinité : « Il commença par poser les trois Personnes, Père, Fils et Saint-Esprit, chacune définie dans son essence, et dotée de son équipement spécial de propriétés transcendantes. Puis il mit les trois termes en rapport et nous proposa une sorte de modèle réduit qui, une fois lancé, fonctionnait parfaitement. Il démontait et remontait l'ensemble avec une si parfaite aisance, tel un enfant jouant au meccano, qu'il avait l'air d'avoir tout fabriqué lui-même. J'en avais le souffle coupé. »

Mais est-ce bien de Dieu que l'on parle, quand on en dit tout et n'importe quoi ? Au reste, que de questions il eût mieux valu ne pas poser, comme Constantin l'avait si justement dit, déplorant les dégâts de la querelle arienne. Les uns soutenaient que dans la Trinité le Fils était inférieur au Père ; les autres assuraient qu'il lui était égal. Je dirais volontiers comme Jankélévitch dans *Philosophie première* : « Autant se demander si Dieu est blond ou brun. »

Voilà pourquoi votre question, aussi prudente, pourtant, que le requiert le sujet, me remet en mémoire tel ou tel passage de Mauriac, un chrétien cependant. Ainsi dans *L'Agneau* : « Dès qu'un livre parlait de Dieu, Xavier ne reconnaissait rien de l'être à qui lui-même parlait. » Ou dans *L'Enfant chargé de chaînes* : « Pendant trois jours, le prédicateur empêcha Jean-Paul de se recueillir. » Mais devinant ma réaction, vous vous attendez sans doute à quelque référence à un auteur grec ou latin...

Vous avez raison...

Soucieux lui aussi de mettre un peu d'ordre dans tout ce qu'il entendait raconter des dieux, un ami de Cicéron, Marcus Varron, que saint Augustin tient pour « le plus savant des Romains », distingue, disons : trois façons de voir les dieux, selon le plan sur lequel on les regarde, on les objective. Varron dit s'être inspiré en cela du stoïcien grec Panétius de Rhodes et du pontife

Scaevola. Il y a, premièrement, les dieux de l'Olympe, ceux des poètes, des tragédiens, leurs histoires salées, leurs coups tordus, et leurs prodiges, bien sûr. C'est *la théologie mythique*, qu'il ne faut évidemment pas prendre à la lettre, mais de façon allégorique, en décryptant ces légendes comme autant de messages utiles aux mortels. Viennent ensuite les dieux protecteurs depuis toujours de la Cité, de l'État, des citoyens, et dont le culte officiel relève des pontifes. Bien sûr, on leur prête les mêmes aventures, sans toutefois s'en choquer, dès lors que la tradition les voit comme autant de puissances salvatrices : c'est *la théologie civile*. Troisième objet de réflexion : la puissance transcendante, la déité qui anime le monde en son ensemble, l'organisant en *kosmos* par la raison naturelle. De cette entité métaphysique – idée stoïcienne, bien sûr –, c'est *la théologie naturelle* qui en traite, relevant comme telle des seuls sages, des philosophes qui entendent quelque chose à la nature des dieux et du monde. Une théologie qui ne sied évidemment pas au gouvernement des États, dont les populations sont tout incapables de s'élever à pareil niveau d'abstraction. Avec cette célèbre « théologie tripartite », c'est déjà d'une phénoménologie religieuse qu'il s'agit, dont les « objets » – les dieux, la déité – répondent à autant d'intentions de la conscience motivant autant de formes d'adhésion intérieure. Ne peut-on pas se conduire, sinon pieusement, du moins de façon religieusement correcte, sans tellement croire à toutes ces légendes ? Voilà, en tout cas, qui mettait quelque ordre dans les esprits d'alors – et le pourrait encore dans les nôtres qui, disais-je plus haut, en auraient quelque besoin.

Ne peut-on pas dire que dans les religions de tous les temps, où fourmillent miracles, voix célestes, apparitions, persiste une part de mythe ? Non qu'il faille nécessairement rejeter le surnaturel au nom d'une raison qui en sait moins qu'elle ne se le figure.

Cela, je l'ai dit dans *Les dieux ne sont jamais loin*. Mais de ce surnaturel, il faudrait décrypter le sens symbolique, en découvrir le mystère, y voir comme une image de l'indicible, et cela en vue d'une foi plus pure. Voilà pour le profit qu'on peut tirer de la théologie mythique de Varron. De même quant à sa théologie civile. Il est clair que le politique ne s'est jamais gêné pour s'emparer du religieux comme d'un instrument, ni le religieux du politique. Personnellement, j'ai souvenance du *Gott mit uns*... Et s'il est bien connu que « les dieux ont soif », convenons que ce sont bien souvent les États qui leur versent à boire, aidés en cela par les professionnels des religions. Rappelons-nous ce que disait Simone Weil que je citais à propos du progrès des sciences : « Après la chute de l'Empire romain qui était totalitaire, c'est l'Église qui la première a établi en

Europe, au XVIIIe siècle, après la guerre des Albigeois, une ébauche du totalitarisme. Cet arbre a porté beaucoup de fruits. » Quant à la théologie naturelle, comme l'appelle Varron, autrement dit celle qui traite du « dieu des philosophes et des savants », pour le dire comme Pascal, elle ne s'en tient pas à ce piètre rationalisme à qui tant ont voulu réduire l'exercice de l'intelligence. Si elle aide à se défaire – à se débarrasser – des intégrismes, de leurs images simplistes, de leurs idées creuses et de leur totalitarisme, elle fait plus et mieux. Elle nous oriente vers le principe d'où tout procède et vers qui tout tend à remonter, et cela éternellement. Un principe au-delà de tout ; au-delà même de l'être. « Au-delà de l'essence », comme depuis Platon le dit la longue lignée des platoniciens. Et voilà précisément pourquoi de Dieu je ne saurais rien dire. « Ô toi, l'au-delà de tout, n'est-ce pas là tout ce qu'on peut dire de Toi ? » dit saint Grégoire de Nazianze, que j'aurai cité plus d'une fois. Et saint Augustin dans le *De ordine* : « Dieu qui est mieux connu en ne l'étant pas, *melius nesciendo.* » Le pseudo-Denys, Maître Eckhart, Angelus Silésius, les grands mystiques chrétiens ne diront pas autre chose. La science, la philosophie, la foi : il faut « tenir les deux bouts de la chaîne », disait Pascal. Pascal le savant, Pascal le croyant.

Sans trop en avoir l'air, dès lors que vous vous dites « agnostique mystique », vous seriez finalement croyant.

Oui. Finalement. J'aurai aligné dans ma jeunesse les mille et une façons que j'avais de ne pas y croire. Il y avait ce monde qui serait si beau s'il n'évoquait par certains côtés le cauchemar d'un sadique. De quoi être enclin à croire plutôt au diable – le diable « qui sait que sans lui, le monde serait inexplicable », comme l'a dit Philippe Labro –, si je n'avais été, et suis toujours, insensible à ces blagues à la Faust. Au reste, Kant m'a tiré de bon matin de mon sommeil dogmatique. Et quand je me mettais, comme cela, pour voir, dans la peau d'un athée, ce monde m'apparaissait plus obscur encore, injustifiable, absurde. Je sais bien que l'athée lambda en a autant et plus à mon service, bardé qu'il est de certitudes. Plus que moi, c'est sûr. Quant à moi, c'est parce que je suis mystique que je suis agnostique.

Car il y a toujours cette intuition dont je vous ai déjà tant parlé ; ce monde contingent qui n'aura cessé de surgir là, sous mes yeux. Une présence que rien ne justifierait si elle ne procédait de rien pour n'aller nulle part.

C'est à ce propos que m'ont aidé et le platonisme et le christianisme, Jésus-Christ et Plotin. Oui, comme saint Augustin : rien donc d'original. D'une part, j'entrevoyais grâce à Plotin ce dont procédait cette fameuse intuition, et vers quoi elle tendait éternellement. D'autre part, comme vient de le dire de façon lumineuse Jean d'Ormesson, avec le Christ, « l'impossible savoir s'est changé en amour ». Car « si Dieu ne peut être connu, Jésus peut être aimé ». Et à qui me demanderait quel est mon credo, je suggérerais une fois encore d'aller voir en Luc, XXIV, 13 à 35. Il y pourrait lire l'épisode dit « des pèlerins d'Emmaüs ». « Reste avec nous, Seigneur, car il se fait tard... » Et je n'ai moi non plus « d'autre foi que cette folle espérance ». Bref, comme pour Mauriac, Dieu est « Quelqu'un à qui je parle et qui me parle, mais je n'ai jamais aimé qu'on me parle de Lui ». En effet, dit encore Mauriac, « La théologie a ouvert trop d'abîmes depuis deux mille ans ». Aussi n'ai-je jamais trouvé de plus juste définition de la foi que celle que propose le cardinal Poupard, ancien disciple lui aussi de Jean Orcibal : « La foi est l'espérance en un amour. »

XXII

On ne sait jamais…

Au terme de ces entretiens, une ultime question se pose, ou du moins peut-on supposer que se la pose le lecteur. Qu'un universitaire bardé de philosophie et d'histoire, et de quelques autres choses encore, estime ne rien savoir, n'y a-t-il pas là un paradoxe ?

Si pareille question se posait, ce serait bon signe. Un paradoxe ? Oh ! que si… C'est à mon avis le procédé le plus efficace pour mettre, disons : le désordre dans la pensée peut-être trop ordonnée de qui vous lit ou vous écoute. Du reste, j'en ai l'expérience, tant au passif qu'à l'actif. J'ai évoqué ici la magnitude de la secousse provoquée par Vladimir Jankélévitch, qui a ébranlé ce que j'estimais jusque-là être « ma pensée ». Elle ne fut plus jamais la même. Encore que plus modestement, la même chose serait arrivée à tel ou tel de mes étudiants et de mes lecteurs : ils m'en ont écrit, me disant avoir trouvé là de quoi voir les choses autrement. Non pas, certes, à ma façon – encore une chance ! –, mais sous un autre angle, auquel ils n'avaient pas songé. Tant mieux. Nous le disions ici même : la liberté se partage, et il nous incombe à tous de tout faire pour aider les autres à devenir eux-mêmes. À réaliser cette ipséité unique dans le temps comme dans l'éternité. Il en a été souvent question ici.

Le procédé du paradoxe appliqué au savoir n'est pas « une première », tant s'en faut. On pense aussitôt à tous ceux qui dans le monde antique ont, comme Hérodote, dénoncé les excès du « trop savoir », alors que selon lui « la sagesse est le premier des biens ». Et, bien sûr, à tous ceux qui, à la suite de Socrate, ont dégonflé l'enflure dont est si fier le faux savant, « gonflé de fol orgueil et de visions creuses ». Ainsi des sophistes, d'autant plus dangereux qu'ils sont maîtres dans l'art de convaincre de tout et du contraire. Que de fois, au long des *Dialogues* de Platon, Socrate a affirmé que de ceci ou de cela il ne savait rien, mais que cela, lui au moins le savait ! Ce qui le distinguait de beaucoup, et d'autant plus qu'il ne s'en cachait pas. Or cela même était un encouragement à en apprendre le plus possible sur tout : plus on en saurait, moins on serait exposé à « l'étroitesse d'esprit », lit-on dans la *République*. L'étroitesse d'esprit contraire à « une âme qui toujours, poursuit-il, doit désirer être mieux pourvue de la plénitude et de la totalité du divin comme de l'humain ». Et plus loin, il est précisé que le but visé est « la connaissance de ce qui toujours existe », et non l'accumulation de toutes les choses qui ont commencé et qui finiront. Donc, plus on en saura et moins on croira tout savoir de la chose dont on disserte, et finalement tout savoir de tout. Le but ultime de la connaissance est ce qui est au-delà de ce que des choses nous laisse percevoir notre expérience. Le savoir authentique n'est pas accumulation, obésité intellectuelle en quelque sorte, mais continuelle aspiration, à partir de ce qu'on apprend, à contempler ce qui fait que le monde, perceptible par ses images, est présent, et donc existe.

Mon propos, fondamentalement socratique, n'a rien d'original. Aurais-je pu dire mieux que Socrate quant à tout ce dont il a été question ici ? Simplement, et comme lui, comme ses disciples de tous les temps, de Platon à Jankélévitch en passant par pas mal d'autres, j'ai voulu déloger la transcendance d'où l'on croit la voir quand on en revêt telle ou telle construction de nos esprits. Parce que, à force de tâtonner, j'ai enfin entrevu qu'elle pouvait bien être ailleurs. Au-delà, encore au-delà, toujours au-delà. «*Epekeina tès ousias*, au-delà de l'essence», comme il est dit de l'Un-Bien, du principe d'où tout procède, en *République* (VI, 509 b), que confirme le *Parménide*. Certitude indéfiniment reprise – j'allais dire célébrée – par la lignée de ceux qu'Augustin appelait les «platoniciens», dont les livres tombant entre ses mains avaient changé sa vision de Dieu et du monde.

Encore la fameuse «extase d'Ostie» s'en était-elle tenue au classique Dieu-être suprême. Vient le moment, dit Stéphane Barsacq en préface au livre d'Armel Guerne *L'Âme insurgée*, « où la parole cesse de vouloir communiquer pour devenir communion avec l'ineffable ». Grégoire de Nazianze le rappelle, je l'ai dit : « Ô Toi, l'au-delà de tout, n'est-ce pas là tout ce qu'on peut dire de Toi ? »

On peut donc, on doit même, tenter d'en savoir plus, toujours plus, sur la nature, surtout en vue d'en tirer le meilleur parti pour la vie des hommes, comme le voulait un Roger Bacon. Mais ce n'est pas là ce qui donne, si je puis dire, le dernier mot sur le fond des choses ; ce n'est pas ce qui enfin répondrait à la fameuse question des questions : « Pourquoi quelque chose plutôt que rien ? » Simple façon de parler, d'exprimer l'étonnement dont nous parlions et dont d'autres ont parlé, que j'ai cités. L'étonnement d'être là au milieu de tout cela, sachant que c'est tout juste pour un temps. Le concept même de « rien » est toujours relatif à un manque, à une carence, à une absence, à un vide qu'il faut se garder de chosifier, comme l'avait vu sans indulgence Bergson... À moins, bien sûr, qu'on ne s'éprenne de ce qu'en disait au VIIIe siècle un Frédégise de Tours dans son *De nihilo et tenebris, Du rien et des ténèbres*. Pour ce bon Frédégise, le rien était quelque chose, dès lors qu'on en parlait en termes d'être. Mais il y avait mieux : n'est-il pas dit dans la Genèse, dans le psaume 138, en Matthieu, VI, etc., que « Dieu a créé le monde "*ex nihilo*", à partir de rien » ? En somme, pour le saint homme, Dieu se serait servi du

« rien » comme d'autres se servent de bois, de béton ou de plastique, pour créer le monde. Gorgias, qui treize siècles plus tôt avait écrit un traité – autrement intelligent –, *Du non-être*, en serait mort de rire. Mieux vaut, décidément, ne pas mélanger les genres, ni confondre les plans, comme l'a fait plus d'un philosophe, pour ne rien dire des théologiens. Récemment, Bruno Guiderdoni, un astrophysicien, le rappelait : la science ne peut pas penser l'apparition de quelque chose à partir de rien ; elle décrit – et c'est déjà précieux – comment les choses apparaissent à partir de ce qui existe déjà. Le reste ne relève pas de la physique, mais de la métaphysique – ou du mystère, si l'on redoute le terme jugé irrévérencieux de mythe. Comme quoi il ne suffit pas de savoir. Encore faut-il savoir savoir. Cela dit, « sait-on jamais » ? Là résiderait même notre espérance : on ne sait jamais.

Table

DES MÊMES AUTEURS

Lucien Jerphagnon

QU'EST-CE QUE LA PERSONNE HUMAINE ? ENRACINEMENT, NATURE, DESTIN, Privat, 1960.

LE CARACTÈRE DE PASCAL, PUF, 1962.

LE MAL ET L'EXISTENCE. RÉFLEXIONS POUR SERVIR À LA PRATIQUE JOURNALIÈRE, Les Éditions ouvrières, 1966 ; 2e éd., de l'Atelier.

DE LA BANALITÉ. ESSAI SUR L'IPSÉITÉ ET SA DURÉE VÉCUE, Vrin, coll. « Problèmes et controverses », 1966 ; 2e éd. 2005.

INTRODUCTION À LA PHILOSOPHIE GÉNÉRALE, SEDES-CDU, 1969.

DICTIONNAIRES DES GRANDES PHILOSOPHIES, sous la dir. de Lucien Jerphagnon, Privat, 3e éd. 1989.

VIVRE ET PHILOSOPHER SOUS LES CÉSARS, Privat, ouvrage couronné par l'Académie française, 1980.

VIVRE ET PHILOSOPHER SOUS L'EMPIRE CHRÉTIEN, Privat, 1983.

JULIEN, DIT L'APOSTAT, Seuil, 1986 ; 3e éd. Tallandier, 2010.

HISTOIRE DE LA ROME ANTIQUE, 4e éd. Tallandier, 2010.

DU BANAL AU MERVEILLEUX, Mélanges offerts, les Cahiers de Fontenay, 55-57, 1989.

HISTOIRE DE LA PENSÉE, « D'Homère à Jeanne d'Arc », Tallandier, ouvrage couronné par l'Académie des sciences morales et politiques, 4e éd. 2011.

LES DIVINS CÉSARS. IDÉOLOGIE ET POUVOIR DANS LA ROME IMPÉRIALE, Tallandier, 2e éd. 2004 ; Hachette littératures, 2009.

ŒUVRES, de saint Augustin, sous la direction de Lucien Jerphagnon, Gallimard, « Bibliothèque de la Pléiade », 3 vol., ouvrage couronné par l'Académie française, 1998-2002.

SAINT AUGUSTIN. LE PÉDAGOGUE DE DIEU, Gallimard, coll. « Découvertes », 2e éd. 2007.

LES DIEUX NE SONT JAMAIS LOIN, Desclée de Brouwer, 2e éd. 2006.

LE PETIT LIVRE DES CITATIONS LATINES, Tallandier, 2004.

AUGUSTIN ET LA SAGESSE, Desclée de Brouwer, 2006.

AU BONHEUR DES SAGES, Hachette Littératures, 2007.

LA LOUVE ET L'AGNEAU, Desclée de Brouwer, 2007.

LAUDATOR TEMPORIS ACTI, C'ÉTAIT MIEUX AVANT, Tallandier, 2007.

ENTREVOIR ET VOULOIR : VLADIMIR JANKÉLÉVITCH, La Transparence, 2008.

LA TENTATION DU CHRISTIANISME, avec Luc Ferry, Grasset, 2009.

LA... SOTTISE ? (VINGT-HUIT SIÈCLES QU'ON EN PARLE), Albin Michel, 2010.

Christiane Rancé

ON NE FAIT QUE PASSER, roman, Nil, 1999.

JÉSUS, Gallimard, coll. « Folio biographies », 2008.

CATHERINE DE SIENNE, LE FEU DE LA SAINTETÉ, Seuil, coll. « Points Sagesses », 2008.

SIMONE WEIL, LE COURAGE DE L'IMPOSSIBLE, Seuil, 2009.

TOLSTOÏ, LE PAS DE L'OGRE, Seuil, 2010.

Composition : IGS-CP
Impression : Imprimerie Floch, octobre 2011
Éditions Albin Michel
22, rue Huyghens, 75014 Paris
www.albin-michel.fr
ISBN : 978-2-226-22983-0
N° d'édition : 19309/03 – N° d'impression : 80803
Dépôt légal : septembre 2011
Imprimé en France